〔青版〕

哲学JAM

ジャム

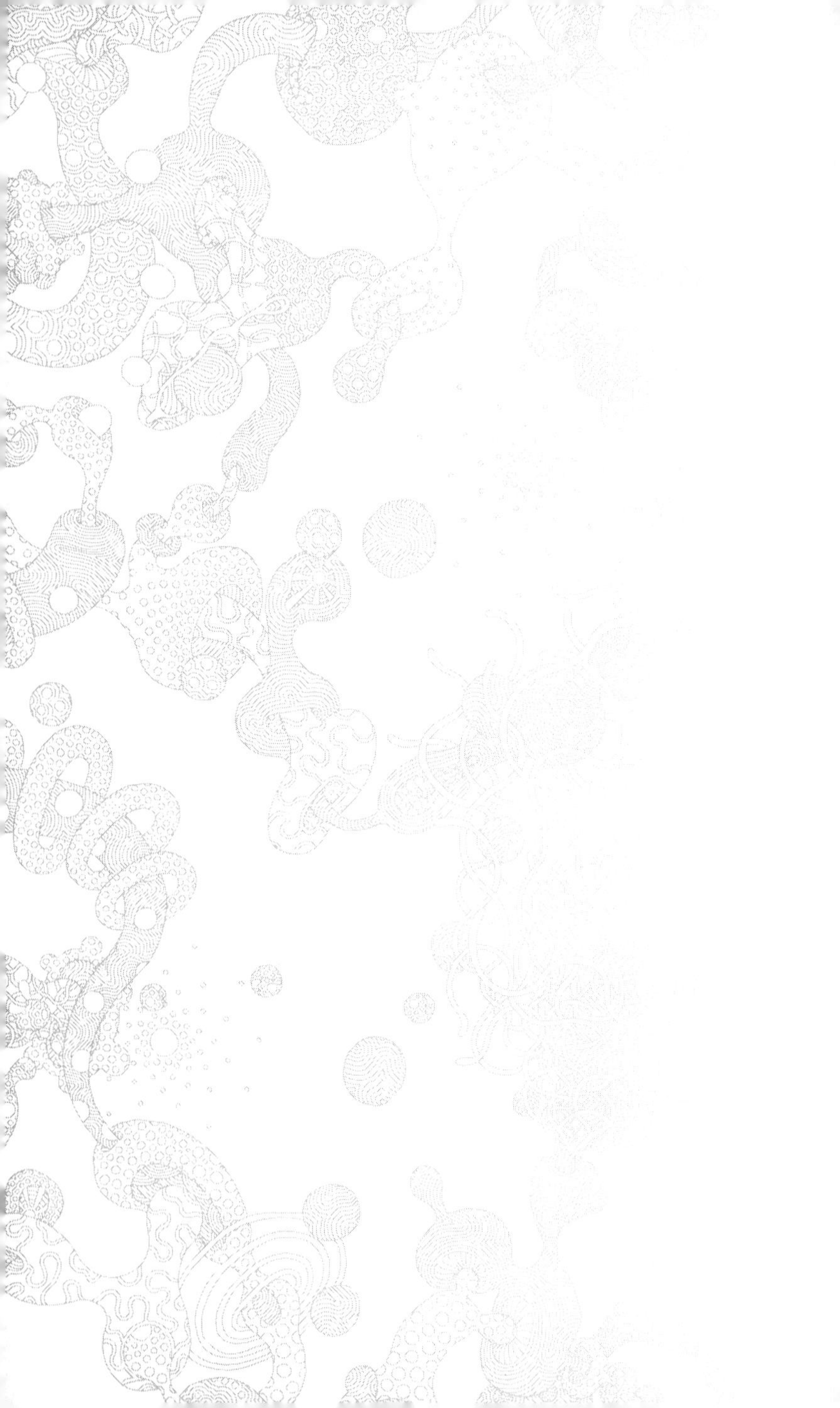

〔青版〕

哲学JAM《ジャム》

仲正昌樹

現代社会をときほぐす

共和国

目次

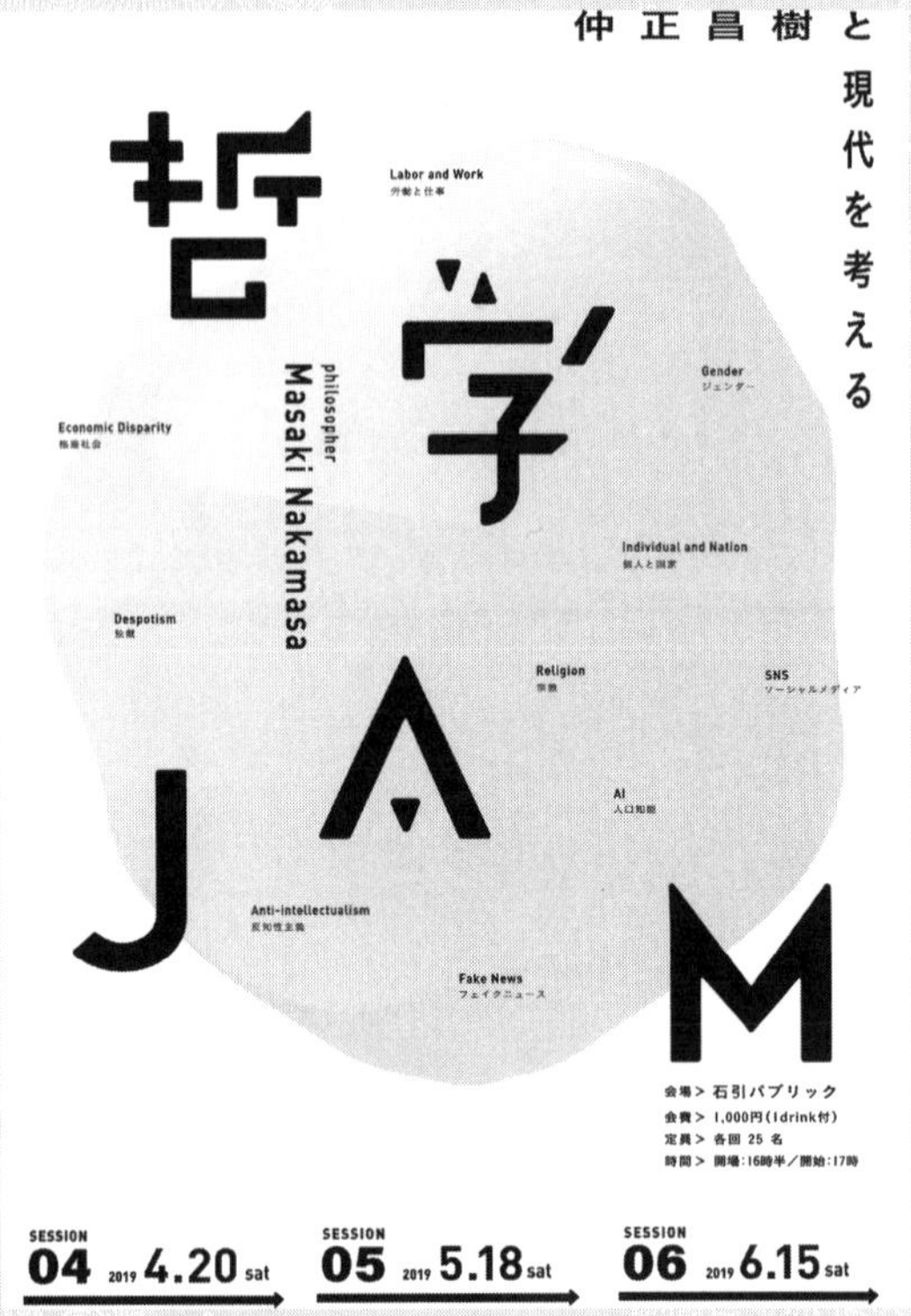
仲正昌樹と現代を考える
哲学JAM
philosopher
Masaki Nakamasa
Labor and Work
労働と仕事
Gender
ジェンダー
Economic Disparity
格差社会
Individual and Nation
個人と国家
Despotism
独裁
Religion
宗教
SNS
ソーシャルメディア
AI
人口知能
Anti-intellectualism
反知性主義
Fake News
フェイクニュース
会場＞ 石引パブリック
会費＞ 1,000円（1drink付）
定員＞ 各回 25 名
時間＞ 開場:16時半／開始:17時
SESSION 04 2019 4.20 sat
SESSION 05 2019 5.18 sat
SESSION 06 2019 6.15 sat

仲正昌樹と現代を考える
「哲学ジャム」(全10回)

グローバル化が進む現代の世界は、複雑化し、答えを簡単に見いだせない問題が多くなっています。いまわたしたちが直面するそれらの問いにどのように向き合い、解決策を見いだせばいいのか。日本を代表する哲学者・仲正昌樹先生と、コーヒーを片手に根源から哲学的に考え、未来を生きぬくヒントを見つけたいと思います。お気軽にご参加ください

仲正昌樹
(なかまさ・まさき)

哲学者(金沢大学法学類教授)
1963年、広島県呉市生まれ。東京大学大学院総合文化研究科地域文化研究博士課程修了(学術博士)。専門は、法哲学、政治思想史、ドイツ文学。難解な哲学書を分かりやすく読み解くことに定評があり、NHKの「100分de 名著」にハンナ・アーレント『全体主義の起源』の解説で出演した。著書に『危機の詩学―ヘルダリン、存在と言語』(作品社)、『歴史と正義』(御茶の水書房)、『今こそアーレントを読み直す』(講談社現代新書)、『集中講義！日本の現代思想』(NHK出版)、『ヘーゲルを越えるヘーゲル』(講談社現代新書)など多数。訳書に『完訳カント政治哲学講義録』(ハンナ・アーレント著、明月堂書店)などがある。著書(共著含む)、翻訳は80冊以上に上り、現代の日本で最も精力的に言論活動をしている哲学者の一人。

SESSION 04 4.20 sat > 科学技術の行く末 ~人間と、AIとクローン人間

SESSION 05 5.18 sat > ネットと文明 ~SNSでつながる先の世界

SESSION 06 6.15 sat > 哲学と演劇　●ゲスト：あごうさとし(劇作家・演出家・俳優)
~哲学と演劇は、古代ギリシア以来どのように関わって来たか

session6 特別ゲスト
あごうさとし Profile
1976年、大阪府生まれ。「映像演劇の演劇」を支柱にデジタルデバイスや特殊メイクを使用した演劇作品を創作する。代表作に「total eclipse」「複製技術の演劇…パサージュ第一」等。2014~2015年、文化庁新進芸術家海外研修制度研修生として、パリのジュヌヴィリエ国立演劇センターにおいて演出・芸術監督研修を受ける。京都国際舞台芸術祭2016 SPRINGにおいて、ショーケースキュレーターを務める。2014年9月-2017年8月アトリエ劇研ディレクター。

各回 第3土曜日 17時スタート
Time Schedule
●16:30~ 開場 ●17:00~ 講義
●18:00~ 質疑＆議論

EVENT 関連イベント >>

6.16 sun　@石引パブリック
あごうさとし氏による
演劇ワークショップ開催！
一詳細は後日SNS、HPなどでお知らせします

8.3 sat **4** sun @金沢市民芸術村(金)
仲正昌樹先生がドラマトゥルグとして参加
あごうさとし演劇公演「触覚の宮殿」
http://www.agosatoshi.com/nextstage

TEXT 参考文献 >>　★印の参考文献は石引パブリックで販売しております。

参加するにあたり知識の前提としておススメする本
★「もういちど読む 山川倫理」(山川出版社)

さらに講義の理解をより深めたい方はコチラ！

SESSION 04
★「MiND…心の哲学」ジョン・R.サール(ちくま学芸文庫)
★「ロボットの心-7つの哲学物語」柴田 正良(講談社現代新書)
「アーキテクチャと法」松尾 陽(弘文堂)
「自由は進化する」ダニエル・C・デネット(NTT出版)

SESSION 05
★「〈ネ申〉の民主主義―ネット世界の「集合痴」について」仲正 昌樹(NTT出版)
★「一般意志2.0 ルソー、フロイト、グーグル」東浩紀(講談社文庫)
★「社会契約論」J.J. ルソー(岩波文庫)

SESSION 06
★「ヴァルター・ベンヤミン…「危機」の時代の思想家を読む」仲正 昌樹(作品社)
★「ドゥルーズ+ガタリ〈アンチ・オイディプス〉入門講義」仲正 昌樹(作品社)
「ヘリオガバルス: あるいは戴冠せるアナーキスト」アントナン アルトー(河出文庫)
「ファウスト」「ヴィルヘルム・マイスターの修業時代」ゲーテ(岩波文庫)

※セッション5、6の日時は変更になる場合もありますのでご了承ください。セッション7以降は、随時ホームページ、SNSなどでお知らせします。※ご予約は各回毎に受付けております。3回全てご予約される方はその旨をお知らせください。※講義の内容をまとめて出版を予定しているため、講義と質疑＆議論の時間中は録音をさせていただきます。何卒ご了承ください。

BOOKS & PRINTING ISHIBIKI Public
会場：本と印刷 石引パブリック(金沢市石引2丁目8-2)　会費：1,000円(1drink付)　定員：各回25名
ご予約・お問合せ：tel.076-256-5692　ホームページ https://www.ishipub.com

定休日：毎週日・月／営業時間11:00~19:00 ※当店に駐車場はございませんので、公共の交通機関または近くのコインパーキングをご利用ください。※イベント当日は15:00まで通常営業いたします。

◆本書は、金沢市の書店「石引パブリック」で開催された一一回の連続講座を書籍化したもので、全三巻のうち第二巻目にあたります。

◆本書には、第四回（二〇一九年四月二〇日）、第五回（同五月一八日）、第六回（同六月一五日）、第七回（同七月二七日）を収録しました。本文中の事件や肩書きなどは、とくに断りがないかぎり、イベント開催当時のものです。

◆脚注や巻末のブックガイドは編集部が作成し、著者の校正を経ましたが、文責は編集部にあります。

第4講

科学技術の行く末

人間とAI

2019年4月20日

「シンギュラリティ問題」とは何か

今回はＡＩ（artificial intelligence、人工知能）がテーマです。専門的な中身については電子工学系の先生に話してもらうとよいのでしょうが、そういう話は別のところで聞いていただくとして、ここでは私にできることとして、哲学との関連で考えてみましょう。

近年、人間の思考能力がどういう要素から成り立っていて、それがＡＩの能力とどう違うのか、あるいはＡＩの機能を多様化することで、人間の思考や意識に近づくことができるのか、ということが話題になっています。

例が古いかもしれませんが、「アトム★は作れるのか」という問題ですね。「鉄腕アトム」のように反応できるロボットがいるのかといえば、今のところはいないと言わざるを得ません。アトムは、計算するだけではなく、人間が「感情」と呼ぶものを備えており、「感情」に対して「感情」で答えることができる存在です。

★ アトム
手塚治虫原作のコミック『鉄腕アトム』の主人公で、原子力をエネルギー源とするロボット。内蔵する兵器や飛行能力などの高度な身体性だけでなく、人間同様に喜怒哀楽を有する。

『鉄腕アトム』第一巻、朝日ソノラマ、一九七五年。

そうなると「感情」とは何なのか、という問題が出てきます。そこで人間の思考や意識の構成要素について考えるために、心理学者や生物学者だけでなく、哲学者にも発言の機会が出てきます。

ＡＩ研究の領域では、二〇四五年には「ＡＩが人間の脳を超えるかもしれない」というテクノロジカル・シンギュラリティー（Technological Singularity）が問題になっているそうです。情報処理の速さや正確さなどの面ではとっくの昔にコンピュータが人間を超えています。問題は、そういう情報処理能力をどうやって高め、どういう目的に使うかです。私の専門ではないのでざっくりとした言い方になりますが、従来はＡＩが能力を高めるといっても、コンピュータが動作するためのＯＳプログラムを開発するのは人間で、それで機械の能力が高まるわけです。ところが、もし開発する科学者がいなくても、ＡＩが勝手に自分を開発してゆくようになったらどうでしょう。ＡＩが自分で、自分の状態を認識して、自分で目標を立てて、自分の能力を高めていくことができるようになることを、「人間の能力を超える」と言っているわけです。それがなぜ二〇四五年なのかというと、これはあくまでアメリカの発明家で未来学者であるカーツワイル★の予測で、時期と内容に関してはいろいろ論争があります。

ただ、「コンピュータは単純な計算能力は高くてもそれ以外のことはできな

★　レイ・カーツワイル
一九四八年生。アメリカの発明家、実業家、思想家。シンセサイザーやスキャナーなどの開発に携わる。

い」と言われていた三〇年くらい前のことを考えると、確かにいろんな複雑な操作が可能になっていて、少々の問題が生じてもコンピュータが自動的に判断して、処理してくれるようになったのは間違いないでしょう。そうでないと、私たちのほとんどはPCやスマホを使えません。コンピュータが、人間からの指示やサポートがなくても自分で自分を高めていく能力を身につけることができるかどうか。そして、単に情報処理速度を上げるだけではなく、われわれが処理してほしい問題を自分で見つけてきて、自分で発展していくことができるかどうか。それがSFの世界ではなく、現実に可能になるのではないかと言われているのが二〇四五年頃だというわけです。そこに問題の所在があるのだと思います。しかしAIが自律的に思考することが可能になったとしても、人間に備わっている知能と、AIが独自に見出した知能が、同じような経路で思考して、同じような価値判断をする、つまりアトム的なものが誕生するとは限りません。

哲学に話を持っていきます。再帰的に自己改善していくような性質を備えた可能性のあるAIのことを、ジョン・サール★というアメリカの有名な分析哲学者が「強いAI」（Strong AI）と名付けています。強い（strong）というのは、自分が発展していく方向性をも見つけ出す性質を備えるに至ったAIのことです。サールはStrong AIとWeak AIを分けています。弱いAIを作り出すことは可能だが、

★ジョン・ロジャース・サール
一九三二年生。アメリカの哲学者。「強いAI」「中国語の部屋」などで人工知能批判の論客として知られる。近年、セクハラで大学を逐われた。

人間と同じ意味で思考する強いＡＩは不可能だというのがサール自身の立場です。私たちが通常使っているパソコンの機能のようにアルゴリズムに従って、速く計算したり、文字変換したり、校正したりする能力は Weak AI に属することですが、近年、Strong AI が現実味を増してきたわけです。

「再帰的」は哲学でもよく使う言葉ですが、自分自身にもう一回帰ってくるという意味です。人間はふつう自己改善能力を持っていると想定されていますが、現在の自分の状況を認識していないと自己改善できないですよね。たとえばスポーツ選手であれば、自分の記録が数値で出るので、どうなったらどれくらい「改善」したことになるか分かりやすいですが、国語能力のようなものだと、基準を決めるのが難しい。何と何が自分の国語力なるものを構成していて、それがどうなれば国語力全体の数値が高まったと言えるのか、評価の基準があらかじめ定まっていない。英語であれば、英検や TOEIC がありますが、それだって数字が上昇したからといって英語が話せるようになるわけでもない。英語力と言っているもののごく一部でしかない。何を重視すべきか、何を信用すべきかの基準がないと、英検や TOEIC を基準にすべきかどうかが決まりません。

自分で自分の能力を把握することは、実は人間自身にとっても難しい。これをこうやれば自分の能力値が上がっていく、と言うためには、つねに自分というものを意識し、把握しないといけない。再帰性とはそういうことです。感情と知性の関係になるともっと難しくなる。感情の問題を抜きに、知性だけに限っても、ＡＩが人間を超える場合の再帰性をどう考えればよいのかが問題になります。

文系と理系

その話と理屈では関係ないように見えますが、マスコミ報道や教育論、あるいは文化論などで、ＡＩとセットで言及されるのが、文系と理系の学問的関係についてです。ステレオタイプな言い方ですが、ＡＩが発達すると人間が不要になると言われていますね。まず文系の方が先に要らなくなる、という連想が働きます。そう発言するような人は、人間に固有の仕事が何なのか、深く厳密に考えているわけではないと思いますが。

雑なイメージでは、文学者や哲学者にとって、心理学者は――実験心理学は実態としては理系に近いイメージがありますが――われわれから見ると感じが悪い人が多いんですよ（笑）。理系に媚びているように見えるんです。自分は理系のこともわかっている、と強調しているようで。金沢大学レベルであれば、理系の先生たちが力を入れているどこそこの分野は哲学的あるいは歴史的にこんな重大な意義がありますよ、と持ち上げたり。工学・医学系の○○倫理を教えていて、その分野にお墨付きを与えたりする文系学者以外は要らないと思われているんでしょう。うちの大学の教育担当理事も、そういう感じの、理系寄りの哲学者です。資料としてお配りしたものをご覧ください。タイトルの割に期待外れな記事もありましたが、雑誌『中央公論』（二〇一九年四月号）で〝文系と理系がなくなる日〟という特集が組まれました。これに東京工大の上田紀行★さんと国立情報学研究所教授の新井紀子★さんによる「分離融合教育でＡＩに勝つ」という対談が掲載されています。その対談からの資料です。上田さんは文化人類学者で医学博士号も持っておられるようです。新井さんの専門はもともと数理論理学です。ざっくり言うと、数学と論理学の中間的な領域です。現在では、数学教育や理科教育に力を入れているようです。

少なくとも私が学生だった頃から、三〜四〇年前からずっと議論されてきたことですが、この対談でも、理系でも大学入試問題などを解くときには、それがどういう問題なのか、国語的なレベルで意味を理解してないと解けない、と語られてきました。大学受験で物理を選ぶと、要領の良い人間だったら、意味が分からなくても式の立て方だけは覚えますよね。受験技術としては、意味を考えたらダメなんです。意味を考えた時点で落ちてしまう（笑）。ベストな解き方は、「これ

★　上田紀行
一九五八年生。文化人類学者。東京工業大学教授。主な著書に、『覚醒のネットワーク』（河出文庫）など。

★　新井紀子
一九六二年生。数学者。国立情報学研究所教授。主な著書に、『ロボットは東大に入れるか』（新曜社）など。

はあのときに理解したあのパターンで考えればいいんだ」ということがぱっとひらめき、さっと式が思い浮かぶようになることですね。たいていの難問は、そうしないと時間がなくなってしまうようにできています。

この対談に、新井さんが、全国の大学の協力を得て実施した大学生の「リーディングスキルテスト」の結果の一部が掲載されていますが、理科の基礎だけではなくて、国語のような問題もあります。［図1］

①の「平均を求めなさい」という質問は面白いですね。平均を求めるには、すべての数字を足してそれを個数で割ること自体は高校生のみんなもわかっている。けれども、国民所得の平均が三百万円だと言われると、全国民の真ん中くらいの人の年収が三百万程度だと思う人がいる、というのです。これは統計的な確率分布の概念が頭に入ってないということです。平均値、中央値、最頻値はそれぞれ違うものです。国民所得の平均とはそもそも意味が違います。

②も引っかかる人は結構いると思います。原点を

問題①（大学生数学基本調査より）

ある中学校の三年生の生徒100人の身長を測り、その平均を計算すると163.5cmになりました。この結果から確実に正しいと言えることには○を、そうでないものには×を記入してください。

(1) 身長が163.5cmよりも高い生徒と低い生徒は、それぞれ50人ずついる。
(2) 100人の生徒全員の身長をたすと、163.5cm×100=16350cmになる。
(3) 身長を10cmごとに「130cm以上で140cm未満の生徒」「140cm以上で150cm未満の生徒」……というように区分けすると、「160cm以上で170cm未満の生徒」が最も多い。

正答：(1)×　(2)○　(3)×

問題②（リーディングスキルテストより）

下記の文の内容を表す図として適当なものを、A～Dのうちからすべて選びなさい。
原点Oと点(1, 1)を通る円がX軸と接している。

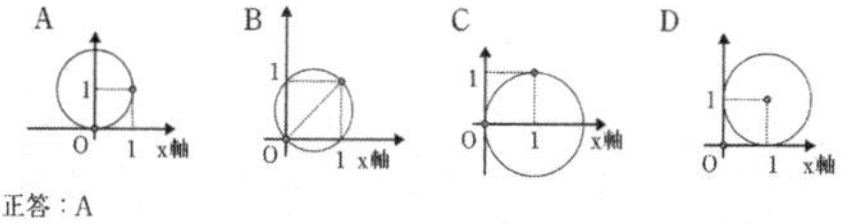

正答：A

問題③（リーディングスキルテストより）

Alex は男性にも女性にも使われる名前で、女性の名 Alexandra の愛称であるが、男性の名 Alexander の愛称でもある。
この文脈において、以下の文中の空欄にあてはまる最も適当なものを選択肢のうちから一つ選びなさい。

Alexandra の愛称は(　　)である。
①Alex　②Alexander　③男性　④女性

正答：①

［図1］『中央公論』二〇一九年四月号より。

通る円があるというわけですが、「通る」の意味について、どういう状態を「通る」というのか、という日本語の問題ですよね。「通る」と「接している」の違いをわかってないと間違えるんですね。こう見てくると、確かに重要なのはリテラシーということになります。

新井紀子さんに『ＡＩ vs. 教科書が読めない子どもたち』（東洋経済新報社）という著書があります。文脈を読む能力を身につけていないとＡＩに負ける、という話です。文脈が読めなければＡＩに負けて当然です。これは哲学的に重要なことです。今のところ文脈を読む能力というのは、人間に特有の知性なんですね。現在の教育制度は、文脈を読めない子供に、本来はかなり高度な数学的処理や実験を無理やり学習させている。文系が役に立たないというより、理系の基礎が危ういということですね。そこでもう一度教育の基礎に立ち戻って、文脈を読める能力を重視しなくてはならないという話です。

文理融合はどのように可能なのか

この『中央公論』の特集では、上田さんと新井さんの対談の次に、隠岐さや香★さんの論考が掲載されています。最近話題になった『文系と理系はなぜ分かれた

★　隠岐さや香
一九七五年生。科学史家。名古屋大学大学院教授。主な著書に、『科学アカ

のか』（星海社新書）という本の著者です。隠岐さんは、文系と理系の境界線はもともとそんなに絶対的なものではなく、近代化とともに学問上分かれてきたけれども、日本では高校の進路の時点で文系理系をはっきり分けすぎると指摘しています。とくに日本は先進国の中でもそれが強い。むろん、他の国でも、日本ほど明確じゃないにしても、理工と医学・薬学を自然科学として一まとめにし、人文と社会をそれらとは異質なものと考える傾向はあります。日本語だと、理系／文系という印象的で簡潔な言い回しがあるので、それが実体視されがちだし、大学入試の対策と大学での初年度教育のカリキュラムの影響で、印象が固定化しがちです。理系といっても、物理学のように数学的計算が重きをなす分野がある一方、実験よりも観察に主眼がある動物行動学や生態学もあり、文系でも統計という形で数学を利用する経済学があれば、心理学や人類学、考古学、地理学のように、どちらにも分類されるものもあります。隠岐さんは、近代科学の歴史を遡りながら、文理の違いは絶対的なものではないのに、私たちが先入観を持ちすぎていることを指摘しています。

最近は、日本でも文理の再融合がちょっとしたブームになっていますね。金沢大学でもそういう構想が進められています。そういう構想の多くでは、理系の先端分野として人気がある分野――それらが本当に先端で、社会的に必要とされて

デミーと「有用な科学」』（名古屋大学出版会）など。

いるかどうかは別として――を設置するために、露骨に言うと、お金を取ってくるために、法律、福祉、社会学、経営学をちょっと混ぜて、文科省のウケをよくする、という単純な発想でやっている場合が多いです。科学には倫理が必要だとか、聞いたことがあるような話ばかりです。

ただ、そういう資金獲得のための方便のような話はさておき、有意義な文理融合の現実のモデルになるのは、医療でしょう。医事紛争が起こると、法学が関わってきます。病気それ自体以外の紛争の要因、医師と患者、家族などの間にコミュニケーションの行き違いがあったこと、インフォームド・コンセントがうまくいっていなかったことが原因だとすると、人間関係をめぐる問題を探究する社会学や心理学が関わってきます。

そうやって構造的問題点が判明して、それを抜本から解決するための医療・福祉政策が必要だということになったら、行政学や政策過程論など政治学の領域です。施設や人員をどうするかというと、経済学や経営学の問題になります。限られた資源をどう使うべきか政策レベルで考えるのは、公共政策あるいは厚生経済学の問題です。どういう基準で誰を優先すべきか、負担は誰が担うか、あるいは、資源の効率的利用と配分の公平さ（正義）をどう考えるかとなると、政治哲学の正義論の問題になります。癌の患者に手術して、治る可能性が低くても手術するのか、手術は危険すぎるので高容量の抗がん剤を投与して癌の進行を遅らせるのか、あるいは、延命を諦め、残った人生のＱＯＬ（クオリティ・オブ・ライフ）を高めることを重視するかという場合、生命倫理学の問題になります。

生命倫理は、どういう療法を、どういう手続きを経て採用すべきかという狭義の医療倫理と、ＱＯＬなど、患者にとって何が重要かを考える、それ以外の生命倫理の領域があります。看護や介護などの観点から「ケア」について考えるとなると、医療という枠を超えて倫理の本質をめぐる「ケアの倫理」と呼ばれる領域の問題になります。公正さという意味での「正義」と、特別な関係のある人同士の間に成立する「ケア」のいずれが重要かというのは、現代倫理学の重要なテーマです。「病気」という現象を人々はどう受けとめてきたか、受けとめるべきかということになると、社会学、歴史学、文化人類学、宗教学の領分です。そうやって考えると、じつにいろんな分野が関わってきますよね。

それにかぎらず、文理を問わずいろんな分野の人が融合的に関わっている学問はありますが、大学のカリキュラムでは大きな比重を与えられていません。金沢大学の共通教育科目に、「ケーススタディによる応用倫理学」というのがありますが、現在はクォーター制になっているため、授業が八回しかありません。最後が試験なので、正確には七・五回です。応用倫理など、自分が専門にしている領域で生じている問題の社会的・哲学的意義について総合的に考える教育が必要だと言いながら、カリキュラム上そういう科目の割合はむしろ減っています。クォーター制は、専門科目でないものは、広く浅く学べばよしとする方向に作用していると思います。専門教育にとって「余計なことはぶつ切りでいい」と思っている人が、学長の周辺や医薬理工、つまり理系の先生と、人文学類の理系寄り分野や法学類に多いのだと思います。こういうことを言うと、医学類の先生は「医者になるのは大変で、学生は六年間にいったいどれだけ勉強しなければならないのか分かっているのか」と言う。理工の先生も同様のことを言う。そういう状況で、文理融合学域を作ろうというのだから、本末転倒している感じがします。

教育における文理融合の重要性

一九九〇年代の終わり頃から、かつて「教養課程」と呼ばれていた、初年次の共通教育に「総合科目」なるものが導入されるようになりました。たいていオムニバス方式で、コーディネーターとなる教員がいて、いろんな専門の人に声をかけるものの、教える方はみんな自分勝手に得意なことを話して後は知らない、学生も結局バラバラの話を聞かされた、という印象しか持たないことになりがちです。オムニバス講義でいろんな先生の話を聞けてよかったという反応もたまにありますが、あまり頭の良い反応ではないですね。いろんな話を聞けて、自分が何を学んだかが問題です。何を学べたか分からないけど、とにかく——何かある一点で掘り下げるのではなく——いろんな話を聞けて良かった、というのはテレビのバラエティ番組を見ている感覚です。

聞くところによると、こういうものが導入されたのはオウム真理教★の事件の影響のようです。オウム真理教の理系院生出身の信者がサリンやＶＸガスなどの化学兵器の開発に参加したことから、実験や計算ばかりしていたら人間にとって何が重要なのか、と考えることがなく、オウムのようなものに惹かれ、言われるままに兵器開発に従事することになりかねない、ということで、人間や社会について総合的に考える科目が必要だ、と役人や有識者が言い出したのがきっかけです。哲学とか社会学とかの話を授業で聞かせれば、理系の人間でも専門馬鹿にならずに少しはものを考えるようになる、というわけです。

むろん、そういうオムニバス形式、というより寄せ集めの授業を受けたからといって倫理的にふるまうようになるかといえば、そんな馬鹿な話はないだろう、むしろ、文系の学問はやっぱり役に立たない、専門だけやっていればいい、という雑な印象を持つだけだと思うのですが、文科省の役人としては、オウムの問題

★ オウム真理教
一九八〇年代後半から二〇〇〇年まで存在した新宗教団体。弁護士一家殺害事件、神経ガスであるサリンの散布による無差別テロ事件などを起こした容疑で教祖の麻原彰晃らが逮捕され、二〇一八年には麻原ら一三名が死刑執行された。

の一端が大学の理系教育にあると言われていたので、とにかく何かそのためのカリキュラムを大学に導入させないといけない、それで自分たちは「仕事をした」ことになる。そうなると、大学の執行部としては、文科省の覚えをよくして予算を獲得するために、総合科目を設置しないといけない、ということになる。

そういう雑な構想も含めて言うと、教育における文理融合の重要性は、かなり以前から説かれていました。しかし、何のための融合かということがきちんと考えられておらず、学生に伝わるはずもなかった。大学の教育改革を担っている人自身が、そもそも文系の学問は役に立たないと最初から決め付けたり、短絡的に、哲学や倫理学は、人間に道徳的にふるまうよう躾けるための科目として位置付けようとしたりします。倫理学という学問は、私たちが倫理と呼んでいるのはどういう現象で、人間がどのような基準に基づいて倫理的判断を行なっているかを研究し、具体的な状況において、倫理的に正しいふるまいは何か考えるヒントを提供しますが、唯一の正しい答えを与えるものではありません。「こうしなさい」というのは倫理学ではなく、宗教などのお説教です。そういうことさえ分かっておらず、○○倫理という名前のついた授業を一クォーター聴講させておけば、何かお説教してもらえるのだろうという程度の認識の役人や理系出身の学長や理事が、文理融合を推奨するので無茶苦茶になります。そして、文系はやはりいらない、という世間の偏見が余計に強まる。悪循環です。

ところで、学期（セメスター）制ではなく、クォーター制が導入されているのはどうしてか。ほとんどの大学の先生は、そんなに短く区切ったら、学生が体系的に学ぶ習慣を失ってしまうのではないか、と心配しています。金沢大学の執行部に言わせれば、区切った方が、学生が留学しやすくなるし、留学生も来やすくなるということです。留学生で、日本と卒業時期がズレるので、帰ってすぐに就職できない、と心配している人がいるそうです。

しかし海外に行って、その国の環境に溶け込んで本格的に勉強したいと思う人間が、たかだか三カ月をけちったり、すぐに就職できないとか、そんな細かいことを気にしたりするでしょうか。卒業時期なんて、国ごとに違っていますし、セメスター制の国もトリメスター制の国もあります。金沢大学では、第二クォーターに留学する学生がいることを想定していますが、入学したばかりの一年生が最初のクォーター、授業が実際にある期間としては二カ月弱の間にどんな準備をするのか。二年生だって、大差ありません。短期の語学留学なら、学期を細かく分けた方が単位の取りこぼしが減るかもしれませんが、語学留学なら夏休みにやればいいし、発想がセコい（笑）。大学当局の宣伝に騙されて、クォーター制のおかげで留学しやすくなったと思うような人間は留学に向いていないのは当然として、そもそも学問に向いていない（笑）。

哲学と科学の分離

隠岐さんの本で解説されているように、自然科学が、哲学をはじめとする文系の学問と対立すると考えられるようになったのは、学問の歴史の中でごく最近のことです。プラトン★は、哲学を学ぶ人はその基礎として幾何学をちゃんと勉強しておかないといけないと言ってましたし、岩波文庫から出ているソクラテス★の対話篇『メノン』には、実際に幾何学の問題が出てきます。与えられている正方形の二倍の面積の正方形の一辺は、元の正方形のそれの何倍か、という問題の答えを、問答と作図によって探究しています。これは平方根や無理数に関係する問題でもありますね。あまり考えていない人だと、二倍にすれば良いと言うかもしれませんが、それだと実際には四倍になってしまいます。ソクラテスはなぜそう思い込んでしまったのかを相手に悟らせ、図形の本質を理解するに至らせます。

アリストテレス★は、政治学や形而上学の他に、物理学、天体論、気象論、動物学、植物学など、われわれが知ってる自然科学の元になるようなものを論じています。むろん、今みたいに厳密な意味での実験や数学を用いているわけではない

★　プラトン
本書七九頁の脚注を参照。

★　ソクラテス
本書七九頁の脚注を参照。

★　アリストテレス
本書一三九頁の脚注を参照。

★　ガリレオ・ガリレイ
一五六四―一六四二。イタリアの科学者、天文学者。「近代科学の父」と呼ばれる。著書に『星界の報告』など。

★　アイザック・ニュートン
一六四二―一七二七。イギリスの自然科学者。万有引力や微積分、光のスペ

ですが。

ガリレオ★やニュートン★は「哲学者」を名乗っています。ニュートンの有名な『プリンキピア』の原題（*Philosophia Naturalis Principia Mathematica.* 邦題『自然哲学の数学的諸原理』）には、フィロソフィアという単語が入っています。これはヨーロッパ中世で、事物の本質を探究する「知」の営みを「哲学」と呼んでいた名残りです。中身は、われわれが哲学だと思っているものとはすでにかなり離れていて、自然現象を数学的、幾何学的に捉える試みで、実際に幾何学的な図形を描いて数学の手法によって、少数の基本法則や定義から物理の基本的な現象のメカニズムを解明しています。ただ、対象をどういう方法、視点から捉えることができるか、という問題意識から発しているので、哲学的な著作だと言えます。

そして一七世紀、バロック時代の有名な哲学者、デカルト★、ライプニッツ★、パスカル★は、三人とも数学者ですね。ライプニッツは、ニュートンと並んで積分の理論を確立した人です。一八世紀になると哲学と自然科学の分化が進みます。それでもカント★は、カント＝ラプラスの星雲説で知られる天文学説を、ヘーゲル★は、有名な太陽系の惑星の軌道に関する論文を書いて教授資格を取得しています。ヘーゲルの頃までは、哲学者が理系的な問題を扱うのそれほど変ではなかったのでしょう。一九世紀になると、さらに各ジャンルの分離が進み、世紀後半になる

クトルなどを発見。著書に『光学』など。

★ ルネ・デカルト
一五九六―一六五〇。フランス生まれの哲学者、数学者。『方法序説』など。

★ ゴットフリート・ヴィルヘルム・ライプニッツ
一六四六―一七一六。ドイツの哲学者。「万能の人」と称され、著作に『モナドロジー』など。

★ ブレーズ・パスカル
一六二三―六二。フランスの哲学者、自然科学者。主著『パンセ』の「人間は考える葦である」で知られる。

★ イマヌエル・カント
本書一九九頁の脚注を参照。

★ ゲオルク・ヴィルヘルム・フリードリヒ・ヘーゲル
一七七〇―一八三一。ドイツ観念論を代表する思想家。主著に『精神現象学』。

と、私たちがよく耳にする学問分野が出揃って、大学の学科や講座の名称に反映されるようになります。それでも、数理論理学と呼ばれる分野で仕事をしたブール★やパース★は、哲学者であると同時に数学基礎論の専門家でもありました。フレーゲ★やラッセル★も同様です。ただ、それは逆に言うと、数理論理学という境界領域だったから二股かけることが可能だったのかもしれません。数理論理学や科学哲学では、自然科学者や数学者で、哲学的な議論をする人、哲学者で数学や自然科学の基礎を論じる人はいますが、哲学者や社会学者が個別の自然科学の現象について研究するのはさすがに難しいと思います。

自然科学と精神科学

近代の解釈学を体系化したと言われるディルタイ★は、精神科学と呼ばれていた人文系の学問と自然科学の基本的性質の違いについて語っています。なぜそういうことを論じる必要があったかと言うと、当時すでに、自然科学の方が客観的だという見方が次第に強まってきたからです。文系的な学問について「客観的な証明が」と言われないよう防衛しておく必要が出てきたのです。

ドイツ語圏にはこの手の議論の蓄積があるのですが、その皮切りになったのが

★ ジョージ・ブール
一八一五—六四。イギリスの哲学者、数学者。コンピュータ科学の礎となる「ブール代数」で知られる。

★ チャールズ・サンダース・パース
一八三九—一九一四。アメリカ合衆国の哲学者、論理学者、数学者。プラグマティズムの創始者として知られる。

★ フリードリヒ・ルートヴィヒ・ゴットロープ・フレーゲ
一八四八—一九二五。ドイツの哲学者、数学者。分析哲学の祖として知られる。

★ バートランド・ラッセル
一八七二—一九七〇。イギリスの数学者、哲学者、批評家、政治活動家。一九五〇年にノーベル文学賞を受賞。

★ ヴィルヘルム・クリスティアン・ルートヴィヒ・ディルタイ
一八三三—一九一一。ドイツの哲学者、哲学史家。主著に『体験と創作』など。

ディルタイです。ディルタイはニーチェ★よりちょっと年上ですね。ディルタイによると、自然科学は、ドイツ語でいうと「説明」(Erklären)するものです。「説明」とは自然を対象として、対象間の因果関係に関する一般的な法則、Pという条件の下で、Aという事象が生じたら、それを原因とするBが必ず生じる、というような形を取る法則を探求するものです。研究者は分析の対象に対して、距離を取って中立的な態度で——つまり、対象に特別な感情や偏見を抱くことなく——分析することができるし、そうしないといけません。

それに対して精神科学は、人間の精神・言語活動やふるまい、習慣、文化などを対象とする「理解」(Verstehen)という営みが中心になります。それは普遍的・客観的な因果法則を探求するものではなく、これこれの歴史的状況において、この人物はこうふるまったけどそれはなぜだろうか、ということを、自らをその人物の立場に置き換えて感情移入(einfühlen)して理解することを試みる。社会科学は、ある意味、自然科学と同じように一般法則を求めるところがありますが、それでも人間の社会的行動は時代や地域、状況によって微妙に違うので、自然科学と同じくらい正確な法則を求めることはできませんし、時代や文化ごとの違いを比較する研究もありますし、自分がその人の立場になったらどうなるのか、という追体験を起点に分析を始めることもあります。そうした「理解」に伴って、

★ フリードリヒ・ヴィルヘルム・ニーチェ
一八四四—一九〇〇。プロイセン出身のドイツの哲学者、古典文献学者。現代思想に大きな影響を与えている。主な著作に『ツァラトゥストラはかく語りき』『善悪の彼岸』など。

観察者自身の価値観や考え方が変化することもあるでしょう。

ディルタイから一世代くらい後に出てくる新カント学派のリッケルト★という人がこの議論を掘り下げます。彼は「文化科学」という言い方をしましたが、基本的にはディルタイの区別を採用していて、自然科学は一般的な法則の定立を目指すのに対して、文化科学は文化的な「価値」の面から重要な対象や出来事について個性的な記述をします。価値に関する判断こそが人間の文化を特徴付けるものであり、文化科学はどこにそういう価値判断が見出されるのか明らかにすることを試みるわけです。ある何かが人間にとって最も大事な価値であるとお説教的に決めつけるのではなく、私たちが普段あまり意識しないでやっている行動に際して、実際にどういう価値判断をしているか——ディルタイ的な言い方をすれば——追体験し、再構成するわけです。

諸学の危機

こういう風に言うと、客観的で確固とした方法論を持っている理系がどんどん発展していくなか、文系の学問の方は防戦一方で、必死で自然科学や数学とは違う方法論を見出そうとしていた、という話に聞こえるかもしれませんが、必ずし

★ ハインリヒ・ヨーン・リッケルト
一八六三—一九三六。ドイツの哲学者。
主著に『認識の対象』など。

もそうではありません。

一九世紀の終わり頃、さまざまな学問が自らのアイデンティティを見失って、危機状態に陥っていきます。少なくとも、哲学の視点からそのように見える事態があり、それを克服しようとする哲学的な試みが生じてきます。数学だと、数学という学問を成り立たしめている最も基本的な公理とされるものの根拠はどこにあるのか、という数学基礎論の問題が生じてきます。端的に、「二本の平行する直線は交わらない」というようなものを自明の理として、それを証明することはできないとするのか、それとも数学する主体の直観とか、論理学に数学の本質があるとみて、そこを拠点に数学の基礎付けを試みるべきかといった、最も根本的な問いをめぐる対立です。

物理学も二〇世紀に入る頃、光の速度の観測や黒体放射のスペクトルなど、従来の古典物理学の前提では解けない問題が浮上して、大枠が揺らぎ、相対性理論や量子力学が登場するきっかけになります。むろん、大枠が揺らいでいる間も、いろいろな発見が相次いでいたわけですが、それらはどういう意味を持っているか、学問の最も基礎的な前提が危うくなっているのに、どうしてそれが進歩と言えるのか、といった疑問はなかなか払拭できません。そういう問題意識を持った自然科学者や数学者の中には、自らの学問の基礎を問い直すために科学哲学的考察をするようになります。マッハ★、ポアンカレ★、デュエム★、ホワイトヘッド★、ラッセルなどです。

哲学の現象学という領域を開拓したフッサール★は、こうした状況を「ヨーロッパ諸学の危機」と呼びました。彼によると、「危機」が生じたのは、諸科学が与えられた課題を解決するために専門的に細分化され、相互に無関係のまま、決まった枠の中で発展してきたせいで、自分たちが何を原点としてどこに向かって進んでいるのか分からなくなっているからです。学問ごとの前提が揺らぐと、自分たちのアイデンティティが分からなくなる。それが危機です。

現象学というのは、人間の意識が自らの対象をどのように構成し、対象にどういう風に関わりながら作用しているのかを考える哲学の領域です。従来の近代哲学は主体と対象がそれぞれ存在することを前提にしていました。確固とした輪郭を持ち、自己同一性を保っている安定した主体が、自分の外に実在する事物をどのように「対象」として認識するかを問題にしているのですが、現象学は、（自他の区別を自覚する以前の）意識がどのようにして不特定な〝何か〟を捉え、それを「対象」として意味付けするプロセスを明らかにしようとしました。こういうと、ものすごく抽象的で難しそうな感じがすると思いますが、物心ついていない赤ん坊が、母親の体とかおもちゃとかペットとかミルク瓶とかを区別して意味付

★ エルンスト・ヴァルトフリート・ヨーゼフ・ヴェンツェル・マッハ
一八三八―一九一六。オーストリアの哲学者、物理学者。主著に『感覚の分析』。

★ ジュール＝アンリ・ポアンカレ
一八五四―一九一二。フランスの数学者、科学哲学者。主著に『科学と仮説』など。

★ ピエール・デュエム
一八六一―一九一六。フランスの物理学者。エネルギー論や熱力学の研究に功績を残した。

★ アルフレッド・ノース・ホワイトヘッド
一八六一―一九四七。イギリスの数学者、哲学者。主著に『観念の冒険』など。

★ エトムント・フッサール
一八五九―一九三八。オーストリアの哲学者。現象学の提唱者。主著に『論理学研究』『イデーン』など。

けすることなく、とにかく〝何か〟に向かっていく様子を考えてください。成長するにつれて、対象と自分自身について一定の既成観念を持ち、それを前提にふるまうようになりますが、それでも、さまざまな瞬間に、部分的に赤ん坊と同じように、〝何か〟未知のものに意識を向け、それを「対象」化するということをやっているはずです。

フッサール自身もともと数学者で、初期は、算術や幾何学、論理学などの基礎について研究しました。そうした数理的な操作の原点において、どういう意識の作用があったのか考えるようになります。彼はさまざまな学問領域の原点に人間の意識と対象の関わりがあると考え、あらゆる学問の共通の根っこにある、対象に向かっていこうとする意識の作用の普遍的形式を明らかにしていこうとしました。後期のフッサールは、各人の意識が普段住まっていて慣れ親しみ、身体を介して他者とさまざまな経験を共有する基盤になっている生活世界の分析に力を入れるようになります。

志向性と心の哲学

フッサールの現象学では、「志向性 Intentionalität」という概念がカギになります。

先ほどお話しした、対象に、あるいは、これから対象になるかもしれない〝何か〟に向かっていく意識の働きです。先ほどお話をしたように、対象として認識する以前から、志向性は働きます。この部屋にはいろんな物や人があり、いろんな音や視覚的イメージが私の知覚圏内に入ってきますが、私はそれらすべてに均等に意識を向けているわけではありません。特定の注意を惹くようなもの、後からしか意味付けしようがないもの、私の身体に危険なもの、障害物になりそうなものに、意識が向かっていきます。意識が向かった後、その〝何か〟は私が通常使っている認識の枠組みの中に組み込まれ、ある属性を付与され、多くの場合、「机」とか「マイク」として名付けられる「対象」として認識されます。

それまでの近代哲学は、主体の合理的な思考、論理的に完成された思考に焦点を当てていて、特定の対象として位置付けられる以前の〝何か〟に対する志向性には関心を向けていませんでした。強いて言えば、人間意識の仕組を実験的に確かめる心理学の研究すべきことであって、認識の本質を問題にする、狭義の哲学の仕事ではないと考えているふしがありました。しかし、〈主体―客体〉関係の基礎になる「志向性」をめぐる問題、未知の〝何か〟に向かっていく意識、あるいはそれ以前の無意識下での身体の動きや、身体と環境の相互作用の方がより根源的な問題だと、フッサールやその弟子のハイデガー★は考えました。

★

マルティン・ハイデガー

ハイデガーはのちにフッサールから離れてゆきます。それは、フッサールの関心があくまでも、論理学や幾何学の基礎になっていく、意識の「志向性」の理性的な核とでもいうべき部分に向けられていたからです。人間はやはり理性的に認識する自立した主体である、という従来の近代哲学の見方に囚われている。そうハイデガーには見えたわけです。ハイデガーは、志向的な意識の主体としての人間よりも、むしろ、人間をして、志向的なふるまいをさせる「世界」の在り方、「世界」の中での人間を問題にするようになります。ハイデガー哲学のキーワードである「存在 Sein」とは、人間の意識が対象を志向するように仕向けられ、他の人間と関わりを持たざるを得なくなる「場」、私たちの意識を無意識のレベルで動かしている根源的な力のようなものが働く「場」のようなものだと考えてください。

フッサールの現象学やハイデガーの存在論は、諸学の危機、方向性の喪失に伴う混乱を、それらの学が生まれた原点、哲学を含めたあらゆる学が始動する原点にまで立ち返って克服する試みだったのですが、第二世界大戦後、哲学界の主流になった英米の分析哲学は、それとは全然違う方向に向かっていきます。簡単に言うと、「主体―客体」関係〝以前〟とか、「世界」とか、「存在」といった漠然とした概念を使うと、どんどん話は曖昧になっていくので、そういうものを哲学

一八八九―一九七六。二〇世紀ドイツ最大の哲学者。主著に『存在と時間』など。

から切り捨てていき、数理論理学でやっているように、論理式で表現できるようなものだけを考察の対象にしようとする傾向です。自然科学を基礎付けている意識の根源的な働きのような、曖昧なものを求めるのではなく、専門化した自然科学の諸分野の知見を前提にし、それらを共通の論理学的な言葉で表現することこそ、哲学の課題だと考えたわけです。

一九二〇年代末にウィーンに結成されたウィーン学団★は、科学を科学たらしめている条件である、共通の論理学と、実験や観察による検証可能性に基づいて、自然科学の諸分野を統合することを試みました。このメンバーの多くがユダヤ人だったので、ナチスの迫害を受けてアメリカや英国に亡命しますが、それに伴って、ウィーン学団的な哲学の自然科学化・数理論理学化の傾向が英語圏に持ち込まれ、ラッセルやホワイトヘッドの似たような試みと合流して、分析哲学の主流になります。すべての科学を、シンプルな論理に還元することが可能だとするウィーン学団の発想に対しては、彼らの弟子の世代であるクワイン★やデイヴィッドソン★等によって強く批判されましたが、曖昧な話は文学とか歴史研究に任せて、自然科学や数学により添っていこうとする分析哲学の基本的傾向は変わっていない、むしろ強まっていると思います。

そのなかでも最もさかんに研究されている分野が、「心の哲学」(philosophy of

★ ウィーン学団
ウィトゲンシュタインやマッハの影響のもと、哲学者のモーリッツ・シュリックを中心に結成された研究者グループ。

★ ウィラード・ヴァン・オーマン・クワイン
一九〇八—二〇〇〇。アメリカの哲学者、論理学者。著書に『論理学の方法』など。一九九六年に京都賞受賞。

★ ドナルド・デイヴィッドソン

mind）です。「意識」あるいは「心」とはそもそもどういう現象か、「意識」はどのように生じるのか、「意識」は脳の中の物理的出来事に全面的に対応しているのか。そういうことを扱う分野ですね。そのなかで最も ポピュラーなのが、人間の知能と人工知能（ＡＩ）を比較して、ＡＩが人間の知能とまったく同質のものになり得るかという問題です。一九五〇年にアラン・チューリング★という数学者が、それを確認するためのチューリングテスト（Turing Test）という方式を考案しました。これは、相手がコンピュータか人間か分からない状態を作って、生身の人間相手に質疑応答のやりとりをさせ、本当の人間と区別できなかったら、テストをクリアして、人間と同じものになったと見なすというものです。

チューリングテストのような試みを通して、人間の知能の働き方とＡＩの違いがはっきりしてきますし、何をもって私たちが「人間的」と判断しているかが明らかになってきます。こういう試みを通して、哲学が大脳生理学や認知心理学、ＡＩ研究とコラボできるようにもなります。

「中国語の部屋」の問題とは

「心の哲学者」の多くは、意識とは、基本的に脳の中の物理的現象が人間にとっ

一九一七—二〇〇三。アメリカの哲学者。著書に『行為と出来事』など。

★ アラン・チューリング
一九一二—一九五四。イギリスの数学者、哲学者、暗号研究者。ナチスの暗号機「エニグマ」の解読で知られ、初期の電子計算機研究に貢献した。

てある見え方をしているだけであって、固有の実体はない、とする物理主義という立場を取っています。物理主義にもいろんな立場があります。行動主義というのは、「〜と感じる」とか「〜と思う」といった心に関する私たちの表現は、人間の行動や反応を分かりやすく記述するためのものにすぎず、その表現に対応する「心」という非物理的な領域を想定する必要はないというものです。機能主義というのは、「心」というのは、情報を記憶するとか、身体に命令を出すとか、コミュニケーションするといった一連の機能であって、それらの機能は必ずしも脳細胞でないと実現できないとする立場です。心的出来事は、基本的には脳を中心とする物理的出来事に起因するけれど、脳内のこの反応がこういう心的出来事を意味する、というように、きれいに一対一対応させることはできないとする非法則的一元論という立場があります。

そういう状況の中で、さきほど名前を挙げたサールは、基本的には物理主義者ですが、強いＡＩの不可能性を主張しているわけです。彼はそれを分かりやすく説明するため、「中国語の部屋」という仮想の状況を設定します——これは漢字文化圏に対する偏見が反映しているかもしれませんが。

ある部屋の中に、中国語をまったく解さない人が入っています。外からは彼が中にいるのが見えないようにし、コンピュータールームのように見せかけます。

外から漢字を書いたデータを入力します。部屋の中の彼には、入ってきたデータの中にある漢字の組み合わせAを見つけたら、あらかじめ与えておいた漢字表現の表の中からBという表現を見つけて、それを答えとして記入せよ、という指示をあらゆる可能な漢字の組み合わせに対して行なえるよう対応表を与えておきます。指示の仕方と、彼が文字の形を見分ける能力が完璧だったら、入力（質問）の意味が分からなくても、あたかも中国語をマスターしている人間であるかのように出力する（答える）ことができるはずです。サールに言わせれば、PCはそれを極めて正確、かつ高速でやっているだけです。PCが、与えられたコマンドを実行したり、自動翻訳できたりするのは、中国語を理解しない男がやっているのと同じ文字通り機械的な作業、リアクションで、人間が使っている言葉の意味を「理解している」わけではありません。

中国語の部屋のように、言葉を規則通りに並べることを、言語学で統語法（シンタクス）と言います。ある言語におけるすべての統語規則を一度にAIに覚え込ませるのは、あまりにも膨大な情報になるので不可能ですが、暫定的な規則を与えておいて、間違えればその規則に自動的に修正を加えるようプログラミングする、ディープ・ラーニングの手法を使えば、どんどん精度を上げられます。しかし、AIは個々の対象がどういう「意味」を持つか判定することはできません。

名称は教えられても、意味は教えられない。

ＡＩは、心のさまざまな機能を再現できるが、意味付けする作用だけは再現できない。サールは、対象に向かっていく意識の働きを現象学の用語を使って「志向性 intentionality」と呼びます。フッサールの現象学とは議論の進め方や他の概念装置がかなり違いますが、〝何か〟を「意味」あるものとして志向することを、人間に固有の現象と見ています。これに対して、進化論や認知科学の最新の問題を、機能主義的な視点からきれいに説明することで定評があり、日本でも多くの翻訳があり、純粋な分析哲学の専門家以外の人にも読者が多いデネット★という哲学者は、「志向性」というのは単なる対象に対するリアクションの複雑さとかタイムラグの問題であって、ＡＩの機能に還元できない、人間固有の「志向性」などないと主張して、両者の間で長年にわたる論争が繰り広げられています。

「志向性」の話を、ＡＩ開発の現実の課題に即して分かりやすく言い換えると、「フレーム問題」ということになるでしょう。シンギュラリティ（特異点）を超えたＡＩが、自律的に判断できるようになるとして、どのような情報にフォーカスして、自分の置かれている状況を把握したうえで、自分の次の行動の目標をどう設定するのか。私たちは、自分の身体を探査装置にして、「あっ、痛い」とか「硬い」とか「柔らかで気持ちいい」、といった感覚を抱くたびに、そこに意識を

★ダニエル・デネット
一九四二年生。アメリカの哲学者、認知科学者。専門は、心の哲学、進化生物学。著書に『心はどこにあるのか』など。

向け、対象を把握します。自分にとって関連のある情報が揃うと、その状況において自分がどうするか、やはり自らの意識が目指しているように思える方向、あれを手に取ってみたい、あれは痛いので向こうにやりたい、口に入れたいなどを見極め、それに即して行動目標を決めます。志向性が働いているので、行動の方向性が自ずから決まっていきます。

ＡＩの場合も、身体に相当する探知装置を作ってやればいいではないか、となりそうですが、では、そのＡＩの身体はどういう外界の情報を探知するのか？どの範囲で？　一メートル四方、二メートル四方、三メートル四方……それとも物理的距離とは別の基準で情報収集するのか。情報の精度はどうするのか。人間の肉眼で見える平均と同じ程度の精度にするのか、もっと細かくするのか。どういう形、あるいは音量・トーンにどういう変化が生じたら、探知し、反応するのか。ＡＩ自身が、次第に自分とそれ以外を区別できるような学習方法をプログラムするとしても、最初はどういう刺激を感知できる装置を持たせて、どういう刺激であればそれを「志向」して、一定の行動パターンを取るようセットするのか？　そうやってどこまでの範囲で、何にフォーカスして情報処理するのかが、「フレーム」問題です。普段から自他を区別して、各種の「志向性」の網を広げている人間なら自然と決まることが、ＡＩに学習させるとなると、初期設定がかなり難しくなりそうです。もっとも人間が初期設定してやって、志向性らしきものを示すようになったとして、それを強いＡＩと呼べるのでしょうか？

外部化される「心」の所在

そもそも、人間の心の所在地を脳内に限定して考えるべきか、という議論があります。私たちは本当にすべての情報を脳内だけで処理しているのでしょうか。文字を使い始めた時点で、私たちは自分の頭の中にある記憶だけに頼るのではなく、文字によって記憶を補うようになりました。ＰＣの記憶媒体としてＵＳＢメモリなどを使うのに似ていますね。記憶だけの話ではありません。私たちは黒板に図や式を描いて、考えの筋道をはっきりさせ、まとまった文章を書くことで自分が何を考え、求めているかを理解することがあります。ドラマ『ガリレオ』★で湯川准教授が事件解決のカギになる数式を書いているシーンが必ず出てきますが、あれは、数学者や物理学者のように極度に抽象的な思考をする人が、思考のために、外部の装置を利用していることを象徴しているように見えます。複雑な計算をしたり、図式を作ったり、さまざまな情報を検索したりしてくれるＰＣは、私たちの思考のための重要な外部装置になっています。あまり高度な機能を使わな

★ テレビドラマ『ガリレオ』
東野圭吾の『探偵ガリレオ』シリーズを原作とし、二〇〇七年、一三年に放映されたテレビドラマ。主演は福山雅治。

い文系の学者でも、ＰＣを使うことによって、文章の構成の仕方が、ない状態と比べてかなり変容します。

ＰＣ自体が私たちを助けてくれる外部装置になっていて、そのＰＣがインターネットなどの接続を通して、他のＡＩを利用している、という二重、三重の関係になっているわけですね。ＳＦで、人間の脳同士がインターネットしているという設定のものがありますが、私たちはそれの第一歩を、言語を使い始めた時点ですでに歩み出していたのかもしれません。というより、ＰＣやボールペン、メモ帳、電卓、机と椅子、書籍や書類、テレビ、携帯電話、道路などの標示記号、法制度……といった各種の外部装置の助けを借りないで、自分の脳だけですべての情報を処理している「人間」というのは考えられません。ある意味、私たちの環境の至るところに、脳の人為的補助装置という意味でのＡＩが張り巡らされており、今話題になっているＡＩは、脳自体の中核的な機能までも外部装置に委譲したものと見ることができそうです。

人間の本質とヒューマニズム

このように考えていくと、私たちが「人間の心」と呼んでいるもの、あるいは

「人間的」と見なしている現象は、絶対的に固定されているわけではなく、私たちが外界とどのように関わっているか、どのような生き方をしているかによって変化している。先ほどお話しした、思考補助装置としてのＡＩは、そうした人間の在り方と相関関係にあります。

「人間」の定義自体が、そのときどきの知や社会状況によって変化します。ミシェル・フーコー★によれば、近代的な知の体系における「人間」は、一九世紀に入る頃、言語学、生物学、経済学における人間像が合致したことによって成立しました。言語を操る能力を持った存在としての人間、ホモ・サピエンスとしての生物学特徴を持つ人間、価値の源泉としての労働力の主体である人間。この三つのイメージがうまく重なったことによって、近代科学に裏打ちされた人間像が成立し、「人間」の本性を探究する心理学、社会学、教育学、人類学などの諸領域が発展します。

古代ギリシアや中世であれば、当然、そうした科学的な表象の連合体としての「人間」とは別の「人間」観があったはずです。古代ギリシアのポリスで、市民権を持った家長が、典型的な「人間」であったのは間違いありませんが、女性や市民権のない男性、奴隷、あるいはギリシア語以外の言語を話す野蛮人（barbaroi）はどうだったのか。「教養」に当たるラテン語は humanitas で、この言葉から「人

★ ミシェル・フーコー
一九二六—八四。フランスの哲学者。知、歴史、権力、性など、現代思想や人文学に最も影響を与えた思想家の一人。主な著作に『狂気の歴史』『言葉と物』『監獄の誕生』『知の考古学』『性の歴史』など。

間性」あるいは「人類」を意味する英語の humanity、「人文科学」を意味する humanities が派生したのですが、ローマ人たちが humanitas の中核と見なしたのは、修辞学や文法、論理学など、「市民」として公の場で発言する能力です。裏返して言えば、「市民」でない人は、「人間性」を欠いている、あるいは「人間性」の度合いが低い、ということになるでしょう。

中世から近代初期の大航海時代のヨーロッパ人にとって、キリスト教徒ではなく、白人と見かけがかなり違い、全然理解できない言語や風習を持っていたアジア人やアフリカ人、ネイティヴ・アメリカンなどは一応は人間だけれど、本当にちゃんとした「人間」なのか微妙な存在だったことでしょう。

一八世紀以降、生物学的に人間として生まれた存在には、人格として尊重されるべき価値を持つという「ヒューマニズム」という考え方が広まってきました。しかし、生物的に人間として生まれるということが、価値ある存在として尊重されるべき絶対的根拠になるのでしょうか。自然界には同じ種族だからといって、自分と同じ価値があるものと見なして大事にするという法則などありません。「ヒューマニズム」というのは、人間文明の中で生まれてきた道徳的あるいは政治的な価値観ですが、この考え方自体に普遍性はあるのか。実際、平等とか公平とか人類愛といった観念を否定する人も存在します。

仮に「生物学的にホモ・サピエンスとして生まれた者は、他のホモ・サピエンスと同等に人格として尊重されるべき価値を持つ」という命題自体は受け入れるとしても、誰かの完全なクローンとして人工的に作られた人間、キマイラとして他の生き物として生まれた存在はどうなるのか、という問題が出てきます。分子生物学の発展で、これはリアルな問題になっています。おそらく、現代のヒューマニストであれば、クローンでもキマイラでも雪男でも、人間の遺伝子を持っていれば、人間として扱うべきだと言うでしょう。しかし、割合や中身を決めずに、単に人間の遺伝子を持っているだけで「人間」というのであれば、ES細胞とかiPS細胞で人為的に育てられた器官も「人間」だということになり、〝彼ら〟を他の人間のための犠牲にするためにだけ養殖することは許されるのか、ということになるでしょう。

いや、人間としての「知能」、感情を含めた人間特有の意識の働き、人間特有の志向性が、「人間」の要件になるかもしれません。しかし、その場合、無脳症で生まれた子や植物状態で回復の見込みがない人は、「人間」から排除されますし、その逆に、シンギュラリティを突破して、公認の「チューリングテスト」をクリアしたAIであれば、「人権」を認められるべき、となるでしょう。映画『スターウォーズ』★には市民権を持っているらしい、ドロイドが出てきますね。

★『スター・ウォーズ』ジョージ・ルーカス原案による宇宙を舞台にしたドラマで、一九七七年以降、映画をはじめ多くのメディアで作品化されている。ドロイドは、C3-POやR2-D2など、人工知能を備えたロボットのこと。

功利主義系の倫理学者でピーター・シンガー★は、「人間」だから価値があるわけではなく、その存在の快楽や苦痛を感じる能力に従って扱いを決めるべきだ、と主張しています。「最大多数の最大幸福」が功利主義の有名な定式ですが、シンガーは、幸福を感じる能力がある存在すべてを念頭に置くべきで、人間に限定する必然性はないと考えます。逆に言うと、快楽や苦痛を感じないものは、存在価値がそんなに高くない。シンガーの基準だと、無脳症など通常の意味で快楽を感じることのできない状態で生まれてくることが分かっている胎児や実際にそうした状態の子供、あるいは脳死状態にある人よりも、チンパンジーやゴリラ、豚や犬の方が権利主体として尊重されるべきということになります。シンガーは、自らの幸福／不幸を感じることができないで状態で生まれてきた子供や脳死状態の人については、家族の判断で安楽死させることができるようにするべきだとする一方で、大脳辺縁系が十分に発達し、狭い空間に押し込まれて飼育されることに強いストレスを感じ、死の恐怖に怯えさえする豚や牛を食用にすることは許されず、動物実験も原則やめるべきだと主張します。それだと、一部の人間を動物

★ピーター・シンガー
一九四六年生。オーストラリア出身の哲学者、倫理学者。著書に、動物の権利や擁護を説く『動物の解放』など。

以下の扱いにすることになると反発する人もいて、物議をかもしています。

この理屈をさらに徹底すると、苦痛を感じる能力を示したＡＩは、人間あるいはそれ以上の扱いを受けるべき、ということになるかもしれません。動物実験を実際にする代わりに。ＡＩでシミュレーションするのもダメになるかもしれませんね。人間を越えたＡＩが、シミュレーション動物の死の痛みを感じ、恐怖するかもしれないので。

いずれにしても、ＡＩが「人間」を超えるかどうか以前に、われわれはそもそも「人間」というものをしっかり把握できているのでしょうか。われわれが人間の能力だと思っているものは、いったいどんな能力なのでしょうか。人間に価値あらしめている本質は何なのか。既成の概念に依存して「人間固有のもの」を早急に決定し、それに固執する必要もないのかもしれません。

会場から

――私は最近、年を重ねるごとに、だんだん人間ではなくなってきていると感じていて（笑）。うちの近くで飼われている犬の方が現代人よりも人間っぽくて、人間が忘れているものを持っている感じも受けます。さきほどの話でいうと、ＡＩが普及すれば、ますます人間がロボット化するのではないかと思います。いったいＡＩで誰が儲けるのでしょうか。国と企業でしょうか。人間の子どもより犬猫の方が愛情をもらって育っている、とすら感じます。

私ももうそんなに若くないので、これまで人間とはこういうものだ、こうあるべきだと思っていた基準と、現在の自分がかなりずれていると感じることは多いです。人によって「人間的」だと感じるポイントが違うのでしょうね。先ほどのシンガーの話のように、苦痛を感じる能力で言えば、動物と一部の人間が逆転するということもあるでしょう。知能の面でも、生まれたばかりの赤ん坊より、犬や猿の方が知的な判断に基づいて行動できるということはあるでしょう。いくら年を取って衰えたといっても、言語でちゃんと会話ができる限り、犬より知的判断力が劣るということはなかなかないでしょうが、他の人間の働きかけに対して、嬉しそうにしたり、悲しそうにしたり、怒ったりする情動的反応に関しては、犬、といっても、まだそんなに年を取っていなくて元気な犬の方が、「人間らしく」見える、ということはあるでしょう。

自分の心身の動きを意識的にコントロールする能力を、人間らしさの特徴と考えるのであれば、年を取ると、人間らしさを失っていくのは確実でしょう。スポーツする能力、力仕事する能力は言わずもがな、集中して一つの作業に取り組み続けるとか、予期しなかった事態に素早く対応する、といった能力も弱っていく。それまでの経験に基づいて自分を習慣づけするとか、金銭的に購入可能な手段とか獲得した社会的地位によって補う――知性の外部化ですね――といったことも考えられますし、それでやりくりしている人が大半でしょうが、いつかそういう装置を操る能力自体も崩壊し始めるでしょう。

そうやって自分が変化していくと、それまで何となく想定していた「人間的」という基準が揺らぎ始めます。絶対的な「人間らしさ」なんてそもそもないのかもしれません。現在、ＡＩの発達によって仕事を奪われる人がどんどん出てくるのではとか、ＡＩがいろいろなリアクションをしてくれるので、人間でないと話し相手やケアの提供者になれないということもなくなるのではないか、とＡＩ脅威論が説かれていますが、それもまた「人間らしさ」を再考するきっかけになるのではないでしょうか。実際にＡＩで十分だと判明することもあるかもしれませんが、人間ならではの働きが新たに発見されるかもしれません。

ＡＩの発達によって、それを開発し、商品化している人だけ儲かるということはあるでしょう。でも、それはどんな機械に関しても言えることです。産業革命以来、労働者はいらなくなる、と言われ続けたけど、従来とは異なる労働形態がいろいろ生まれてきました。機械を利用した新しい人間的な働き方が創出されたということでしょう。ＡＩはそれとは別だという人もいますが、未来がどうなるかは本当のところ誰にも分かりません。自分は人間らしくなっている、ＡＩに追いこまれているという危機感があるからこそ、「人間らしさ」について再考するきっかけになるわけです。

ＡＩを利用して金儲けをしている奴らに踊らされるのはいやだ、ＡＩが人間を超えるというのはプロパガンダに違いないと思っておられる、あるいは、そう思って安心したいのでしょうが、ＡＩブームに乗って金儲けをしようとしているのがどんな人であれ、その人たちの意向だけで、「人間らしさ」が再定義されるわけではありませんし、彼らの意図をいろいろ憶測するのは、大した意味はないというか、あまりいいことはありません。自分が「人間らしい」かどうか決めるのは、最後は自分なんですから。

――ＡＩの分析というのは、おそらくビッグデータによる蓄積からの分析だと思いますが、情報分析の観点から考えても、必ず誤差を確認しながら進めていく判断が必要だと思います。ところがＡＩでは、誤差率というのはほとんど考えられていない。というのは、天気予報でさえほとんど当たらないわけですよね（笑）。そういう誤差をＡＩはどの辺まで使えているのでしょうか

そういうＡＩ開発に関する技術的見通しを私に聞いてもしようがありません（笑）。でも、そういう客観的な指標によって判定できる誤差を考慮に入れて、幅をもった予報を出したり、その後の状況の変化に応じて修正するといったことは、ディープ・ラーニングによってじきにクリアするでしょう。単純な話、収集するデータの蓄積が増えれば、それだけ予測の精度自体あがっていくでしょう。余談ですが、私が高校生だったときに比べて、入試偏差値の精度が物凄くあがってい

て、入試のプロはかなり正確な予想ができるようになっているみたいですね。いろんな数字を見て判定するのだから、ＡＩにできないはずはない。

問題は、むしろいろいろいろな操作によって出した「答え」が、それでも外れてしまって、多くの人に迷惑をかけたときにどうふるまうかですね。謝るのか、仕方なかったという態度を取るのか。責任を取って何か自分にペナルティを課すのか、自分のそれまでのやり方を改めるのか。人間だと、そういう他の人間を意識した道徳的な反応をするのだけれど、現在のＡＩは、さすがにいかにも人間的な判断はできない。その意味でアトムではない。でも、デネットたちの言うように、そういうのも複雑で多様性を含んだリアクションの連鎖にすぎないのなら、いつかクリアして、アトムに見えてくるかもしれません。

われわれは何らかの目的を持って行動しますが、今日中に仕事を片付けるとかいったミクロな目的はともかく、人生を通して実現すべき目的は、たいてい成就しないですよね。露骨な言い方をしましょう。入社したときに、必ず社長になろうと決意して、それを人生かけての目標にしたとしますよね。でも、なれなかった。五〇歳のときに部長にもなっていないので、あと十年くらいで社長の椅子に座るのはほぼ無理と分かった。では、死ぬかというと、たいていの人は死なない。私が東大の教授になれなかったので死ぬかというと、死んでないです。何らかの形で目標を少しずつ、現実的なものに修正して、若いときほど元気はでないけど、何とか生きがいを持てるようにしていく。それが人間の能力です。私はそう思っています。その能力をＡＩが身につけるかどうか。ＡＩは何らかの形で、その都度設定している目標を越えて、自らの生にとっての幸福を考えるようになるのか。そのとき彼らは自分の幸福とわれわれ人間の幸福のバランスをどのように取ろうとするのか。それを考えるようになったら、人間に近い存在と見ていい。

これは最も大きな意味での「フレーム問題」です。自分で自分が存在する目的を見出し、現実に可能な範囲で、自分の幸福を追求していく。そういう大きな枠を自分で見つけ、その中で自発的に志向性を発揮するようになることがＡＩに可能なのか、落ち着いて見守っていけばいいと思います。

――人間はごまかしますよね。嘘もつくし、怒ったふりをして本当は悲しいかもしれない。取り繕ったり、まわりを騙したり、自分にも嘘をついたりします。では、ＡＩが人間を超えると言うとき、人間の複雑な意識も無意識も、混沌としたものもすべて含めてＡＩは理解できるようになるのでしょうか？

人間は、事実に関して嘘をつくだけでなく、自分の感情についても「本音」と

「建て前」をその都度の目的に応じて使い分ける、ということですね。今の家庭用ロボットなんかは、人間の感情表現に対して、一定のリアクションをするようになっていますね。現状ではそんなに複雑な反応はできないと思いますが、処理能力を高めていったら、こういう感情の兆候を示したら、事実とは異なる情報を伝えるようにプログラムできるかもしれません。ＡＩ自身が感情を抱いて、それを自分で「理解」できるかが問題ですね。

私たち人間も本当に「感情」なるものを抱いているのかと言われたら、よく分かりません。単に、表情とか動作が変動しているだけかもしれない。現に、自分でも気づかないうちに、何かの感情表現をしていて、それを他人に指摘されることがある、ただ、私たちはそれに自分で「気付き」、「理解」しようとし、理解したつもりになる。「気付く」というだけなら、ＡＩが出したコマンドを実行するよう関連付けた端末にセンサーを付けるなどして、「感情の自己感知」を実現できるかもしれませんが、その状態に特定の「意味」、おそらくは自分に固有の表現様式によって表現された「意味」が込められていると想定し、その「意味」を「理解する」となると、どういう操作が必要になるのか。先ほどお話しした、ディルタイの「説明」と「理解」の区別をめぐる問題が出てきますね。本当に両者は根本的に違うのか。後者は人間固有の営みか。

茂木健一郎★さんが一時期「クオリア」（意識における主観的な質感）という言葉を流行らせました。この「クオリア」についても同じような問題がありますね。「クオリア」は単なる物理的刺激や情報ではなく、それを自ら本当に体験した人が感じるものとされています。「青」という色を構成する光のスペクトルは客観的な数値として出すことができますが、実際に「青い」ものを見て何かを感じた人でないと、「青い感じ」という「クオリア」は分からない、と言われます。「心の哲学」では、本当にそういうものがあるのかをめぐって論争になっています。デネットは、そういう感じの実体などなく、記憶の中でそういうものがあったような気になる、ユーザー・イリュージョンのようなものにすぎない、だからＡＩで再現できないことはない、という立場を取っています。ＰＣである一定の操作をしたとき、プログラムが反応して悲しそうな顔とか嬉しそうな顔が画面に出ると、ＰＣと自分の間にそういう感情的な関係が生じているような気になりますが、その顔の背後に別に意味などないですね。感情やクオリアの理解はそういうものなのか、それとも、私たちがまだ言語化できてない何かがあるのか、それがホットなテーマです。この手の議論をすると、たいてい、物理主義的に否定する側が有利な感じになりますね。

★ 茂木健一郎
一九六二年生。脳科学者。ソニーコンピュータサイエンス研究所上級研究員。著書に『脳とクオリア』（講談社学術文庫）など。

――機械が人間を超える年を二〇四五年と規定した根拠は何でしょう？

ＡＩが人間化するのではないか、という話はＡＩ開発が始まった当初からあったのですが、九〇年代からいろんなＡＩ研究者や企業家がリアルな予測を出し始めたようです。一番有名なのが、先ほど名前を出したカーツワイルで、二〇四五年というのは彼の予想です。彼は宇宙の誕生↓生命の誕生↓高度な知能を持った生命体の誕生↓人類の産み出した高度のテクノロジーの完成↓人間が生み出したテクノロジーの自律化↓……というように、段階を踏んで宇宙が進化するという壮大な進化論と、これまでの技術の進歩の歴史から見た技術革新の加速に関する法則によって、二〇四五年という数字を導き出しているのですが、かなり大雑把な推測によっているので、いろいろ批判を受けているようです。時期についても、技術的特異点でＡＩに意識がアップロードされるというテーゼについても。

――たとえばチューリングテストみたいものを実施して、一〇〇人中一〇〇人がもうこれは人間じゃないかという反応をする物体やシステムが出現したときには、われわれ人間の側が変容するのではないかと思っています。人類史を考えると、人間は科学や技術によって身体を拡張してきたと思うんですよね。

それこそ足や手や目などの身体を外部化して拡張して来たわけです。そしてＡＩの出現によって、いよいよ脳や意識の拡張が始まっているとすれば、さきほどの意識の外在化が実現するということですよね。ものを調べるときにググるというようなことから始まり、やがて自分の分身みたいなＡＩができたり、友だちが拡張されたり、というようなことまで見えてきました。そうやってわれわれが変容したときに、虚無や虚脱感に襲われる人があらわれて、人類に目的を見いだせないまま、全部ＡＩに委ねてしまえばいいではないか、労働も必要ない、というように人間が変容するとちょっと怖いなと感じています。そうなったとき、哲学は人間に新たな目的を与えてくれるのか。あるいはそこすらもＡＩ的なものが役割を果たすのか。ＡＩが理由のある目的を与えるのか。こうした問題に興味があるのですが、どうお考えでしょうか。

哲学は、人間がどういう風に目的を見出すかを論じますが、どういう目的を見出したら幸福になれるかを教えるものではありません。それは宗教か政治の課題でしょう。ただ、これまでお話ししてきたように、人間すべてとは言わないまでも、少なくとも近代人は、自分たちが人間特有の「心」を持ち、ある程度は周囲の環境や人間関係によって規定されているけれど、自らの自発性によって人生の「目的」や「意味」を見出し、他のものにはない「自分らしさ」を発揮できると考え、それを生きがいにしてきました。それがＡＩにも可能であると思うと、おっしゃるように、自分も単なる機械になったような気がして、やる気がなくなる人もいるでしょう。さまざまな「目的」の選択をめぐって、悩み葛藤するのが「人間」だと思っていたのに、それは単に情報処理が遅いだけ、ということになりかねない。

でも、翻って考えると、ＡＩと〝同じ〟だと判明するのはそんなに絶望的なことでしょうか。心理学や社会学を勉強して、自分のユニークな考えだと思っていたものが、他の人と同じようなパターン化した図式をなぞっているだけ、と分かって、がっかりすることはあります。自分はすごいと思っている人だったら、自分が普段バカにしている平均的な人間と同じだと分かって、ショックでしょう。でも、それで人生を諦める人はいません。大雑把なことは分かっても、細部に関してはまだ自分で決めるべきことがいろいろあり、日々〝ルーティン的な行動〟を繰り返しているうちに、いつのまにか自分特有の行動パターンになっていることを発見したりする。異人種は別の生き物だと思っていた西洋人には、私たちと思考パターンや知能の発達具合があまり変わらないと聞いて、ショックだったでしょうが、次第に慣れてきます。人種主義者になる人もいますが、それはある意味、他の人種と自分たちが〝同じ〟だと認識していて、それを受け容れられないで葛藤しているからでしょう。その人たちだって、全員が全員、非西欧人の存在自体が許せないというわけではなく、多くの人は何らかの形で、現実との妥協を図っています。『スターウォーズ』の世界のように、すぐれて個性化したＡＩには、精霊とか異星人とかと同じような感じで人格を認めて共存するという感覚が生まれてくるかもしれません。

――今日はこういう専門的な講義だとは知らずに来てしまいました。ところで、私は毎週日曜朝に、自然環境についてのテレビ番組を見ています。鳥や魚といった動物の世界の番組なのですが、本当に仲の良い動物の夫婦が出てきます。こういう世界が動物にあるんだったら人間の世界にもあるんじゃないかと、テレビのスタッフにとっては、それが人間らしいと考えて撮っていると思うのですが、そんな考えはおかしいでしょうか。

全然おかしくないと思いますよ。テレビ番組は、作っている人の人間観を反映していますが、彼らは平均的な視聴者の人間観に敏感で、自分の人間観をそれに合わせようとするでしょう。おっしゃっているのは、自然界に、人間同士の愛の原型が見出せるという感覚だと思いますが、それは人間の特異性を強調するキリスト教とは対立する見方かもしれませんが、日本人の多くは伝統的にそういう感覚を持ってきたのではないかと思います。

動物の延長線上に自分たちの感情生活を位置付ける感覚がおかしくないのであれば、ＡＩと私たちの間に連続性を感じる感覚だって、そんなにおかしくないという気がします。阪大の石黒浩先生などによる人間そっくりのロボットを作る、という日本の独得のロボット開発の構想の背景として、日本には八百万《やおよろず》の神々がいて、万物に魂が宿るというアニミズム的な土着の感性がある、と指摘する評論家が多数います。

——先生はどういう目的で哲学を勉強されているんですか。哲学をしているときに問題を解決している感覚があるのでしょうか。あるいは考えていること自体が楽しいのでしょうか。

後者です。考えていること自体が楽しいですね。哲学的な問題を解決してすっきりするなんてことはめったにありません。そういう風に思っているとしたら、危ない兆候です。次には、天から与えられた使命を感じ始めるかもしれません。

本を書いているときは、文章構成上の問題を解決できて、すっきりするということが多いですが。

第5講

ネットと文明

SNSでつながる先の世界

2019年5月18日

SNSの功罪

今回は最初に、SNS（ソーシャル・ネットワーキング・サービス★）の功罪を考えてみます。インターネットが一九九〇年代の後半に急速に普及しはじめた頃から、そのプラスの面とマイナスの面が指摘されてきました。Twitter や Facebook を多くの人が利用するようになって、功罪の両方が際立ってくるようになりました。

インターネットの初期の段階では、あまり技術がない個人が情報発信できる手段として、メールくらいしかありませんでした。もともとはプライベートな情報交換として行なっていた発信が、次第に拡大していったのがSNSです。その「功」の部分としてよく言われるのは、MeToo★の運動や企業の不正告発、災害時の情報の発信などです。Twitter が一番典型的ですが、自分がフォローしている人がつぶやいたことを中心に、それ以外の人のつぶやきでも、関心を持っていれば見ることが可能です。それまで主に利用されてきたブログでは、関心を持って

★ソーシャル・ネットワーキング・サービス（Social Networking Service）　ウェブ上で個人間のコミュニケーションを目的としたネットワークを構築できるサービス。mixi や Twitter、Facebook、LINE など多数あり、利用するにあたって無料のものから課金制までさまざま。

★MeToo　ハッシュタグを付けて「#MeToo」と表記し、セクシュアル・ハラスメントや性被害を告発する際のSNS用語。

いる人のアクセスをかなり集めないと情報の拡散は難しかったのですが、Twitterでは、普段から情報交換している人が少数でもいれば、それが何倍にも拡大していく可能性があって、効果はブログなどよりは広範です。自分の主張に特に賛同してくれそうな人の注目をわっと集めて、その人たちがさらに拡散してくれれば、さらに広がっていく仕組みになっています。

これをMeTooの運動に即してみると、SNSにはそれまで隠されていた情報を社会一般で共有化し、「公開する」という役割があることが分かります。そこで、その逆の「隠されていること」を意味する「プライベート」という言葉から考えてみたいと思います。

「プライベート」の意味

日本語で「プライベート」とは、私秘的で親密な人との間の関係を指したり、「自分だけの生活空間」を指したりします。英語のprivate、およびドイツ語のprivat、フランス語のprivéなどこれと同系統のヨーロッパの言葉は、「親密な関係」という意味だけではなく、「内密にしている」「秘密にしている」という意味があります。情報を完全にオープンの状態にしないで、当事者だけが共有している状態のことです。最近は、金沢のデパートやホテルでも、ドアに「プライベート」と書いてありますね。ホテルだと、外国客が泊まりに来るので英語でprivateと書いているのでしょう。ただ、日本人には分かりにくいので、Staff Onlyと言い換えているところもありますが、いずれにせよ「情報を関係者以外には知らせない状態にしている」という意味です。英語で辞書を引くと、privateの意味はいろいろあって、たとえば政治家や外交官が「極秘」会談をすることについて、privateという形容詞、あるいはprivatelyという副詞や、in privateという前置詞句を使います。

このprivateな関係の中にある情報が「外」に出ることが、「公開する」ということです。もともとprivateな扱いを受けていた情報が、なんらかの手順を経て「公開」されるわけです。政府とか裁判所が正規の手続きによって「公開する」ときには、それをそれまで内密にしていた理由がもはやなくなったのか、このまま公開していいのか、多くの人が知っても大丈夫な正しい内容なのか、一応吟味します。しかし個人の場合、どうでもいい情報をprivateのままにしておこうとする場合もありますが、その逆に、自分や身内の、あるいはたまたま知り得た他人の情報を、真偽も吟味せず、あまり考えないで公にしてしまうことがあります。目立ちたがりの人だと、フェイクを混ぜたり、バイトテロなど、悪ふざけ動画の類を作ったりします。大手のメディアがフェイクニュースを出すこともありますが、公開する前の編集段階で一応チェックするので、すぐバレるようなのはそれほど多く出しませんよね。ネットで、特にＳＮＳ発信の場合、フェイクまじりの悪質なものになる可能性が高いです。ＳＮＳはprviateな情報を、新たにネット上で親しくなった人との間でやりとりするための、いわば、privateな関係を拡げるための媒体だったはずですが、それを親しい関係の人を拡げるためではなく、いきなり不特定多数の人に対して公開する人が増えてきて、むしろそれが当たり前になってしまいました。

悪質で深刻な業務妨害になるような情報であれば、警察が捕まえに来ますが、出どころが不明かつ匿名の人で、特定の企業や特定の役所に対する業務妨害だと見なしにくいと、警察もそう簡単には手を出せない。「この企業がこういうことをやっている」と具体的に書くと、業務妨害の可能性が高いですが、「この業界ではこういうことが行なわれている」「この団体は一般的にこういうことを習慣的にやっている」くらいであれば、単なる悪口でしかなく、刑事事件にはならない。損害賠償請求を起こしても簡単には勝てなさそうです。

テレビや新聞で、最近「これがTwitterで話題になっています」と紹介することが頻繁にあります。純粋な意見であれば、「Twitterで話題になっています」と放送しても構わないでしょうが、誰それが賄賂を取った、誰それが不倫をしたという類の、名誉毀損につながる事実関係が含まれているかもしれません。そういう場合でも、「話題になっていることを報じただけだ」「そういう噂が出回っているのだ」とマスコミは言いわけができます。少し前に、NHKのニュースで「皇室の祖先の天照大神が祀られている伊勢神宮の内宮」と報道されて問題になりました。この場合は、「記紀神話では〜とされる」と前提とするところを省略したために、事実として報じたかのようになってしまったのですが、おそらく、「記紀神話」を省略して、「〜とされる」だけでもオーケーだったでしょう。神話や伝説を念頭において、「〜とされる」と断っただけで十分なら、「ネットでは」ということを念頭において、いろいろ自分の好きな主張を紹介することができます。本当に悪質な場合、誰かに頼んで拡散させておいて、「話題になっています」と報道する手も使える。バレたら放送法違反になるでしょうが、あいだに何人か介したら、出所を特定するのが難しくなります。インサイダー取り引きが成立したかどうかより、もっと曖昧な話になるでしょう。大きな既成メディアでなくても、アルファブロガー★やTwitterでフォロワーが多い人が「これが話題になっている」という形で強調して拡散するだけで、悪い方にはいくらでも使えます。

アメリカのトランプ大統領★は、Twitterに自分の感情をコメントとして拡散す

★　アルファブロガー
ウェブ上に評論やエッセイを掲載するウェブログ（ブログ）サービスの利用者（ブロガー）のうち、影響力や読者が多い者のこと。

★　ドナルド・トランプ
一九四六年生。実業家。政治家。二〇一七年よりアメリカ合衆国第四五代大統領。二〇二〇年の大統領選挙で民主党候補のジョー・バイデンに敗れる。

ることをしばしばやっています。彼がこれまでの共和党の政治家と大きく違っている点が二つあります。一つには、共和党は伝統的な価値観を守り、国益重視する傾向が強かったけれど、国を閉ざすような政策は表に出さないのがコンセンサスになっていたのに、それを表立って打ち出し、大統領になったこと。もう一つは、Twitterで自分の感情を自由に表現することです。政治家がTwitterで普段の自分の感情を露わにすると、生の感情が分かって良い、と評価する人がいます。しかしトランプ大統領が、ＣＮＮがフェイクニュースを流していると書いて、自分の正しさを感情的にアピールすると、彼のフォロワーはあまり真偽を確かめようとしないで、拡散します。各人が情報の真偽を判断していなくて、大統領、大統領候補がそう言っているという事実を拡散しているだけのつもりでも、拡散していくうちに引用符が外れて、真実であるように通用するようになり、拡散に関わった人も、いつのまにか真実を伝えたつもりになっていくでしょう。人間は、自分が好意的に言及・紹介した人を「味方」と、否定的に言及した人を「敵」と思いたくなります。

ネットがなかった時代には、privateな関係にある人同士の間だけの、事実か願望か曖昧だった話が、ＳＮＳを介することで、いつのまにか公共の場で通用する事実になってしまうわけです。自分の心のうちに秘めておくべき、とされていたプライベートな、表明するにしても身内などごく親しい友人にしか表明すべきではないと思われていた内面の思いが、Twitterを通じて拡散していきます。

今でも、公の場で感情を表明するのは、政治家とか大きな組織の幹部には相応しくない、と言う考え方があります。社会的な地位にある人が不用意な発言をすると、炎上が起きて、やがて淘汰されるのであまり心配する必要はないというような、言論の市場の論理のようなものに基づく楽観論がありますが、実際は必ずしもそうなっていない。炎上で潰れる人もいるけれど、トランプ大統領のようにそれでかえって注目され、「味方」から頼もしく思われる人もいます。淘汰されないまま言いたい放題になってしまう可能性があります。

「プライベート」から「パブリック」へ

プライベートな内容がパブリックになっていくことの功罪をさらに考察してみます。「功」の方は、まず情報発信が簡単になった。この点では、それまでと比べて格段に進歩しました。ネットが登場した初期から言われているように、大手メディアを利用できない、一般人でも発信することが可能になりました。しかし、発信した後、その情報がきちんと評価され、高度な内容での情報交換が行なわれ、コミュニケーションが進化していくのでしょうか。そうではない場合の方が多いのではないか。

Twitterは文字数をかなり制限しています。Facebookは、友だちリクエストをして承認されないとフルに情報共有できないので、基本的に、安心できる相手とのコミュニケーションに限定されるため、かなりの有名人でない限り、あまり細かく表現を気にしなくていいはずです。LINEの場合、本当に直接知っている人だけの短めの情報交換用に開発されたので、不特定多数向けの発信ツールではないですが、LINEで発信したことがTwitterなどを介して拡散することは十分にありえます。これらのツールは、親しい人同士の利用を想定しているので、気楽に思い込みによる決めつけをしたり、感情的な表現を使ったりすることが多く、親しい人同士では話を省略しがちです。それが何かのきっかけで、Twitterを介して不特定多数の人の眼に触れて炎上することになるので、最初の発信者を知らない人は、炎上している文章を見ても何の話か分からないことがしばしばあります。最初の時点でちゃんと伝わる表現にしようという努力がなされていないんです。

一九九〇年代の末のネットが普及し始めた頃、市民運動家たちは、ネットを使えば市民の声が政治に反映するようになる、と言っていました。大きな運動団体でなくても、専従の活動家がいなくても発信することができるので、政治と市民の距離が近くなるという楽観論ばかりだったんです。でもそれも二一世紀に入り、イラク人質事件★があった頃から、論調が逆転しました。インターネットは普通の人を全体主義的な論調に同調させる凶器だと、むしろ左翼市民運動系の人たちが言い始めた。その後、ＳＮＳが発達し、反原発デモや反安保法制デモでTwitterやFacebookが一般の人を動員するうえで一定の役割を果たしたので、再び肯定的な評価が出てきましたが、Twitterで保守系の論客の声が大きくなるにつれて、また左派の間での懐疑論が強まっている感じがします。

ワープロの登場による書き手側の変化

推敲の努力をしないということで言うと、一九八〇年代後半にワープロが普及する以前、左翼運動の人がビラを作るときも、手書きなので綺麗な字で書かないといけなかった。字が下手な人間だと、読んでもらえるよう注意してゆっくり書きますね。ゆっくり元原稿をちゃんと写そうとする。書き損じをしないように慎重になります。原稿自体についても、論理的にはこのくらい説明した方がいいけど、読みにくいのでこのくらいまで縮めた方がいいとか、見出しの取り方をどうするか、ということも考える。タテカンを作るときも、書き損じると大変なので

★　イラク日本人人質事件
二〇〇三年のイラク戦争勃発後、イラクの日本人ジャーナリストやバックパッカーが武装勢力によって誘拐され、二〇〇四年には六名が誘拐（うち一名が殺害）、翌年にはイギリス系民間軍事会社社員一名が殺害された。このとき、ネットを中心に現地への渡航者に激しいバッシングが起こった。

考えて書きます。今はワードで打って、すぐにプリントアウトできますね。プリントアウトする必要さえない。間違ってもすぐに訂正できるし、フォーマットも適当に変えられる。

学者の世界では、論文が無駄に長くなる傾向や、下手な文章がそのまま残ってしまうということが起きています。昔は原稿用紙に手書きしていたので、この展開では読みにくいと思ったら、四〇〇字詰めの用紙を何枚も破棄しないといけない。最初から書き直すので、ものすごい労力です。ワープロで書くようになると、簡単に直すことができる。うまく使えなかった表現をいろいろいじったり、PCに記憶させておいて、当初と思っていたのと別の箇所や原稿で生かすこともできる。だから、後で文脈に合うようにアレンジしようと思って、あまりうまくない表現をしばらく放っておくと、記憶力のキャパシティもあって、手直しを忘れたまま公開することになる。

文筆業をしている人は、雑誌などの依頼原稿で使うためにいろいろ思いついたアイデアをPCに溜めておきます。早く使おうと焦ると、無理をしておかしな文章にしがちなので、焦るのもよくない。大学生の、特に一年生や二年生のレポートを見ていると、思いついたことそのまま書いて、まとまりのない、何を言いたいのか分からない文章になることが多い。文章の才能がある人間は、そもそもメモなんか取らないでも、頭の中だけで瞬時に文章をアレンジしてしまうのでしょうが、ほとんどの人間には無理です。もともとうまく文章を構成する能力のある人は、ワープロが登場したおかげで文章力が高まったけれども、そうでない人は、便利なおかげで逆に能力が低くなっているかもしれません。

もう少し一般化して考えてみましょう。人間社会全体が便利になっていくと、自分では直接操作できない情報も利用できるようになります。たとえばパソコンのプログラムを作る人は、半導体を作っている物質の物性まで知る必要はありません。なかにはプログラムと配電装置と半導体の物性まで知っている人がいるかもしれませんが、プログラマーには普通そこまで求められません。分業しているからです。分業しているおかげで、一人の脳では処理できないような情報処理が可能になります。インターネットは、そうした分業を社会全体で高度に組織化するためのツールですね。

ネットのおかげで、「自分が使える情報」と「自分がちゃんと分かっている情報」との間に大きなギャップが生じてきます。ＰＣに記録した自分の思いつきでさえ、自分でうまく処理できないのに、他人がくれたアイデアを検索で集めてきて、それを上手く処理できるはずがない。そのことを自覚しないまま、検索してきてはそれを理解しないまま拡散するということを多くの人が繰り返しているのではないかと思います。これが、先ほどの公私の境界線の曖昧化という問題と表裏の関係にあります。プライベートな関係では粗い表現を使って、適当な噂話をしていてもよかったけれど、それとあまり変わらない感覚で、検索情報をネット上で再びまき散らす。かつては公私の間にそれなりに敷居があったけれど、今やその敷居が外れかかっている。ＳＮＳがこの事態を推進しているのですね。

アーレントの〈公／私〉区分

全体主義を論じたことで有名なハンナ・アーレント★は、『人間の条件』という著作で、人間を人間たらしめているアクティビティとして、「労働（labor）」「仕事（work）」「活動（action）」の三つがあると主張しました。

この場合の「労働」とは、工場労働のというより、自分の身体を苛めて、生命維持活動することを指します。どちらかというと、「仕事」の方が、現代日本語で言う労働に近いですね。ただアーレントが念頭に置いているのは、機械で同じようなものを大量に作ることではなく、職人さんの仕事のように、人間の世界において意味を持つような事物を自らの手で作り出すことを指しています。たとえば机や椅子を製作することが挙げられます。これらは人間の世界じゃないと意味

★ハンナ・アーレント
一九〇六—七五。ドイツ出身の哲学者、思想家。ハイデガーに師事し、四一年、アメリカ合衆国に亡命。ファシズム研究に大きく貢献した。主な著作に『エルサレムのアイヒマン』『全体主義の起原』『人間の条件』など。

を持たないものです。動物は机のようなものがあっても、われわれのように社会的有用性を評価して使うことはありません。

　活動（action）とは、言論を中心した他者への働きかけです。英語のactionという言葉には、複数の意味があります。たとえば法学用語で「訴訟」を指します。演劇用語では、「第何幕」という場合の「幕」をAct.と表します。役者さんの演技はactionです。語源になったのは、ラテン語のactio（アクチオ）です。ラテン語は古代ローマの言葉ですが、ラテン語で都市国家のことをcivitas（キビタス）と言います。古代ギリシアのポリスやイタリアのキビタスでは、政治を中心とする「公的な領域public realm」が確立されていました。actioは、多くの市民たちが参加する公的な領域で、他の市民たちに言葉で働きかける営みだと言えます。これは、政治と演劇と法廷弁論に共通する要素ですね。actioを行なう市民は、自分の言動が他の市民の批判的な目に晒されることを意識せざるを得ない。言葉によって人を説得し、自分の賛同者にしないといけないので、言葉を選んで相手の精神、相手の理性的な思考に働きかけるような言葉を発していく。

　ではpublicとはどういう状態でしょうか。基本的な意味は「公開されている」ということです。「公権力」というときの、日本語の「おおやけ」に相当する意味は後から生まれたものです。全市民が見ることができて、批判にさらされている状態にあるのがpublicです。そうした公開の批判的吟味が成されるのは、多様な視点を持った多くの人が絡む「複数性 plurality」の領域でもあります。それに対して、古代のポリスやキビタスの市民にとって、「家」が私的領域でした。家の中には奴隷がいるし、家長以外は市民権を持っていなかった。そこでは常に暴力が容認されており、力で抑えつけるという支配の形態がありました。今の英語だと、中学三年から高校一年で習っているはずの熟語に、deprive A of B（AからBを剥奪する）という表現があります。このdeprive A of Bに現れているように、privateはもともと「欠如」を意味する言葉です。ラテン語のprivatio（プリヴァチオ）という単語は「欠如」を意味します。「私的領域」に何かが欠如しているとすれば、それは「公開性」です。

普通の人には、政治の領域で不特定多数の「公衆 the public」に見られながら、彼らを説得すべく、さまざまに工夫を凝らす活動に専念する余裕はありません。生活の心配があるからです。たとえ言論活動に従事できても、自分の利益を実現するための言論だと、どうしても言論の中身が一面的になり、複数の他者の視点を考慮に入れることなどできません。一方的に自分の言い分を押し通そうとしてしまう。「家」の財産のおかげで、生活にゆとりがあり、奴隷に「労働」させることのできる市民は、生活の心配から解放され、「活動」する能力を高めるため自分を鍛えることができます。弁論術や修辞学、論理学、文法を磨き、ソクラテス★のような哲学者や弁論家と問答をしながら、活動の能力を向上させていく。アーレントは古代のポリスで「公／私」の領域がきれいに分離し、市民たちが「公的領域」で自由に活動できる環境があったことを、西欧的な意味での「人間」の条件として重視します。

むろん、実際には古代の市民も自分の財産を増やすことに一生懸命だったはずですし、市民が自分の生活を心配しなかったという前提には無理がありますが、資本主義社会に生きる近代人の感覚からすると、「市民」たちは、日常生活の労働（labor）から十分に解放されていた、とも言えます。プラトン★の『国家』や『法律』に出てくる市民は、いわゆる生業には就いていません。彼らは普段学業や芸術、スポーツに勤しんでおり、必要なときに政治が行なわれる広場に行って議論に参加します。近代市民社会になると、多くの人に市民権が付与され、奴隷がいなくなったことで、「経済」から全面的に解放されて政治に参加する人がいなくなりました。英語の economy の語源はギリシア語の oikonomia で、これは「家 oikos を運営する術」、家政術という意味です。経済が政治の主要課題になると、弁論だけで人を説得することが難しくなりました。利害関係が一致していないと、最初から人の話は聞きません。また、「公／私」の境界が曖昧だと、それ

★ソクラテス
前四六九～前三九九。古代ギリシャの哲学者。釈迦、キリスト、孔子と並ぶ四聖人とされる。本人の著作はなく、交流があった人物が書き残したものによってその哲学や思想が現在に伝わっている。

★プラトン
前四二七～前三四七。古代ギリシャの哲学者。ソクラテスの弟子、アリストテレスの師。『ソクラテスの弁明』『国家』などの著作がある。

まで「家」の闇に隠されていた荒々しい感情、暴力的な支配欲が表に出てきてしまいます。近代市民社会では、どうしても「公共圏」が純粋に機能しなくなり、「活動」を中心とする「人間」らしさが失われていくと、アーレントは悲観的な見方をしています。

近代における「公共圏」の可能性

現存するドイツの哲学者で最も影響力があるのが、ユルゲン・ハーバマス★です。ハーバマスは、教授資格論文『コミュニケーション行為の理論』で世界的に有名になりました。彼は二〇一九年現在、九〇歳ですが、論文を書いたり演説したりして積極的に活動しています。ハーバマスはアーレントの影響を受けたとよく言われますが、アーレントと違って、市民的公共圏を肯定的に評価しています。

ハーバマスは、中世から近代初期にかけての公共性を、「具現(代表)的公共性 repräsentative Öffentlichkeit」と言い表します。これはつまり、王様、貴族、教会の高位聖職者などが公共的な立場を代表して、そういう人たちが公の場で儀礼を伴った交渉をすることで社会の秩序が保たれていたのですが、市民社会では、各人の利益を追求する市民がさまざまな議論のネットワークを作っていきますね。

★ ユルゲン・ハーバマス
一九二九年生。ドイツの哲学者、思想家。公共性論、コミュニケーション論で知られる。主著に『公共性の構造転換』『コミュニケーション行為の理論』など。

そのなかで新たに市民たちに共有される意見、パブリック・オピニオンが形成されていくことです。パブリック・オピニオンは「世論」とも訳されますが、ハーバマスの研究者は「公論」と訳します。ハーバマスが論じる初期のパブリック・オピニオンは、主に新聞を読む人たちが、そこで報じられる議会でのやりとりを知り、それを自分たちなりに論評することを起点として形成されます。

アーレントは、古代のポリスのように市民が他の市民から成る「公衆」の前に現れ、まさに「演技するact」ように「活動action」する対面コミュニケーションを念頭に考察を深めていきましたが、ハーバマスは、この活字を中心とした公共圏が新たに成立していることに注目します。活字文化から生まれてきたのが、カフェとか地域の読書サークル、サロンなどから成る「文芸的公共性」です。いきなり権力者を批判するのではなくて、文学作品を論評することを通じて社会の矛盾を明らかにしていくわけです。ドイツ語圏だと、レッシング★やシラー★の演劇もそういう啓蒙的役割を果たしていました。今ではあまりそういうイメージがありませんが、二〇世紀の終わり頃までは、大都市の有名なカフェは、政治的な知識人や学生が文芸や思想書を素材に意見交換する場になっていました。そういう読書サークル、カフェでの議論などが、活字メディアを補うようにして意見交換の場を形成し、それが絶対王政や教会に対する対抗公共性の役割を果たしました。

★ ゴットホルト・エフライム・レッシング
本書一五〇頁の脚注を参照。

★ ヨーハン・フリードリヒ・フォン・シラー
本書一五七頁の脚注を参照。

ハーバマスも、時代が現代に近くなるにつれ、市民的公共性が健全に機能しなくなってきたと考えています。一九世紀後半以降、多くの商業ベースのメディアが大企業になり、広告収入に依拠し始めると、市民的公共性の担い手であり続けることが困難になります。一部のエリートだけが新聞や雑誌を読むのではなく、読者対象が「お客様」になるので、一般大衆の意向に沿うような記事にしないといけなくなります。

複製芸術の両義性

ハーバマスはドイツの「フランクフルト学派」という批判的知識人のグループの第二世代の代表的存在ですが、彼の先輩にあたるヴァルター・ベンヤミン★という文芸批評家と社会哲学者のテオドール・アドルノ★は、ヴァイマル共和国時代に写真、ラジオや映画というようなメディアが「芸術作品」として機能し、私たちの感性的知覚に影響を与えるようになったことの意味を論じています。現実を複製する新しい技術として登場した写真や映画が比較的初期から芸術作品として扱われるようになったことはご存知ですね。

ベンヤミンは「複製技術時代の芸術作品」という論文で、映画の複雑な性格に

★ヴァルター・ベンヤミン
一八九二―一九四〇。メディア論から文芸・美術批評まで、現在最も影響力を与えているドイツの思想家、哲学者、批評家。主な著作に「ドイツ悲劇の根源」「ボードレールにおける第二帝政期のパリ」「歴史哲学テーゼ」など。

★テオドール・アドルノ
一九〇三―六九。フランクフルト学派を代表するドイツの哲学者、社会学者、音楽評論家。主な著書に『プリズメン』『美の理論』『否定弁証法』など。

ついて考察しています。映画は、人が目にした現実をそのまま記録し、速やかに伝える媒体でもあると同時に、芸術作品として人々に感性的な感化を与えます。周囲が真っ黒な映画館で、人々は眼と耳を映像に集中させます。座席での姿勢が固定され、館内に音響が響くことで、身体に触覚的な刺激も受けます。

ベンヤミンは複製技術をうまく使うことによって、一般大衆、特にプロレタリアートが、自分たちが生きている現実を複眼的に見ることができるようになる、と考えました。モンタージュ、クロースアップ、スローモーションなどの映画特有の技術を使うことで、普段なんとなく見過ごしていること、気にもとめないことを細かく観察し、批判的視点で捉えられるようになると論じます。それに対してハーバマスの先生であるアドルノは、メディアが大衆を覚醒させるという見方に対して否定的で、複製芸術にはむしろ、芸術と一体になった原初の宗教、神話的世界のように、主客未分化の混沌とした状況を生み出し、知性を麻痺させる働きがあることを示唆しました。

この関連でよく例に出るのは、女優出身の映画監督で、ヒトラー★のお気に入りだったレニ・リーフェンシュタール★が作った、ナチスのニュルンベルク党大会を撮った『意志の勝利』と、一九三六年のベルリン・オリンピックを撮った『オリンピア』という二つの映画作品です。二つとも今 YouTube で視聴することができ

★ アドルフ・ヒトラー
一八八九―一九四五。ドイツの政治家。国民社会主義労働者党（ナチス）党首。主な著作に『わが闘争』など。

★ レニ・リーフェンシュタール
一九〇二―二〇〇三。山岳映画の女優として活躍後、ナチス時代の国策映画『意志の勝利』『オリンピア』を監督。戦後はナチスの協力者と見なされた。

ます。*Triumph des Willens*、*Olympia* で検索してみてください。リーフェンシュタールの映画の撮影方法で最も画期的だとされているのは、群衆が感動している様子を撮った場面です。それまでは、普通の人間がたくさんいて、手を叩いたり歓声をあげていたりしていることに特別な意味があるとは思われていなかったけれど、群衆が一体化して一つの動的な動きをしているところを映像として表象することによって、民族自体が一つの身体を持って動いているような印象を与えることに成功しました。映像になったマス・ゲームは、民族の身体を可視化します。

映画をはじめ、近代のマス・メディアは、無意識に隠れていた人々の欲望を、公の領域で、民意とか人民の身体のような具体的な形を与え、それを人々に自分たちの真意として受け入れさせるのです。

近代自由主義と公／私

こうしたことを考えると、「公／私」とを区別しておかないと、特に民主主義社会では、みんなの意見が暴走していく危険があると言えそうです。これは近代の初期からずっと言われていることです。フランス革命を批判したことで有名な保守主義の元祖とされるエドマンド・バーク★というイギリスの思想家・政治家に

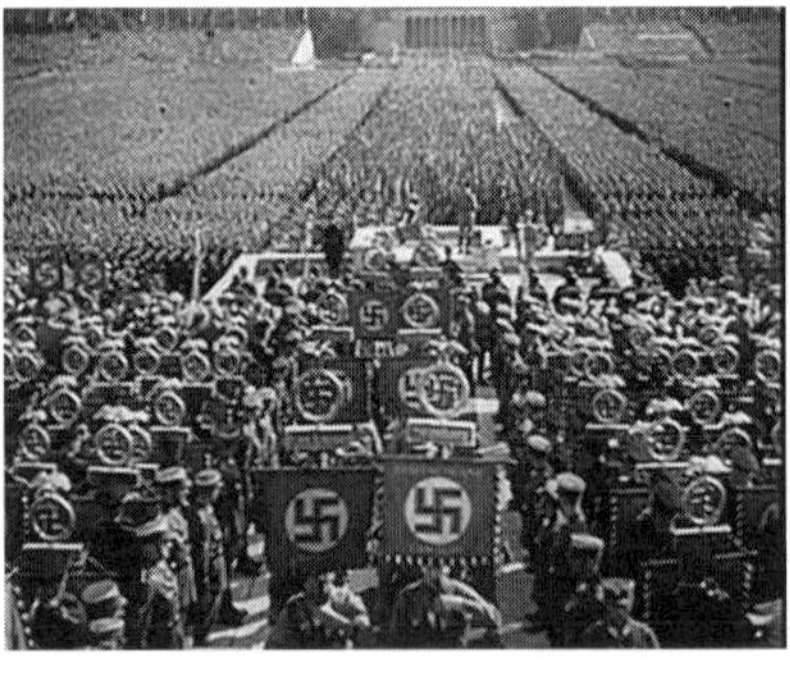
映画『意志の勝利』（一九三四）より。

★ エドマンド・バーク

『フランス革命の省察』（一七九二）という革命批判的な論文があります。人権が普遍的なもので生まれつき備わっているとみなすのは幻想だということなどを主張しています。最も決定的だったのは、民主的な多数派は、民意を代表する自分たちが常に正しいと思っているので、間違いを認めず、何かまずいことが起こっても、みんなで決めたという理由で、誰も責任を取らないだろう、という指摘です。彼らは自分たちが人類の知の頂点にいると思っている。そう思っているのは実際にはごく少数かもしれないけれども、彼らの決定は民衆の名においてなされる。ルイ十六世やマリー・アントワネット★が処刑されるのは一七九三年、ロベスピエールやサン＝ジュスト★が反対派を処刑し始めるのは翌九四年からなので、革命派がまだそこまで暴走しておらず、激しい戦闘を行なっていた時期に、そう言っているわけです。

日本ではあまり知られていませんが、この少し後に自由主義の歴史で重要なバンジャマン・コンスタンが、フランスに登場します。彼は作家としても知られています。コンスタンはナポレオン時代に青年期を送り、ナポレオンが失脚した後に本格的に活躍しました。彼は、「古代人の自由」と「近代人の自由」を対比したことで知られます。古代人の自由とは、市民として政治に参加し、自治の一翼を担うことです。自分たちの在り方を自分たちで決めるわけです。したがって公

一七二九—九七。アイルランド生まれのイギリスの政治思想家、哲学者。「保守思想の父」。主な著作に『崇高と美の観念の起源』など。

★ ルイ十六世やマリー・アントワネット
一七八九年革命時のフランス国王とその王妃。共に一七九三年に処刑される。

★ ロベスピエールやサン＝ジュスト
いずれもフランス革命を担った政治家。恐怖政治を実施し、共に一七九四年に処刑される。

★ アンリ＝バンジャマン・コンスタン・ド・ルベック
一七六七—一八三〇。スイス生まれのフランスの小説家、自由主義の思想家。主な小説に『アドルフ』など。

的領域にこそ自由があります。近代人の場合、「一人で放っておいてもらう」こと、誰にも干渉されないでプライベートな生活を送れることが自由です。私的領域にこそ自由があります。プライベートな生活が重要な近代人にとって、政治への参加は余計な苦痛です。それに加えてコンスタンは、近代市民社会には憲法が不可欠だということを指摘しました。憲法が何のためにあるかというと、民主主義から個人の自由を守るためです。民主的な統治が行なわれるようになると、多数派に自分たちは正しいのだという思い込みが生じ、民主的決定によって少数派の自由が侵害されやすくなります。公的領域での政治が人間の生活のすべてを支配してはいけない、ということをはっきりさせるために憲法が必要になります。

アメリカの民主主義の美点を明らかにしたことで有名な、フランスの歴史家で政治家のトクヴィル★は「多数派の専制」について論じています。アメリカ人には、自らの力で民主主義を作り出した経験と自負があります。草の根の自治をやってきた自分たちが政治を動かしているんだ、という自覚があるのですが、その自覚があまりにも素朴すぎて、「多数派の専制」を起こす可能性があるかもしれないと考えました。イギリス人で功利主義の哲学者として知られるミル★は、トクヴィルの影響を受けて、多数派の専制に対する予防をしておく必要があると考えました。彼は人間の行動領域を他者に害を与える可能性で分けて、他者に害を与える

★ アレクシ＝シャルル＝アンリ・クレレル・ド・トクヴィル 一八〇五―五九。フランスの政治思想家、法律家。一八四八年の二月革命時には革命政府の議員となる。主な著作に『アメリカのデモクラシー』など。

★ ジョン・スチュアート・ミル 一八〇六―七三。イギリスの哲学者、経済学者。古典的自由主義者として知られる。主な著作に『自由論』など。

可能性がほとんどない領域を「私的領域」とみなしました。

基本的に、私的領域には民主主義の名によって介入することはできません。これを現代の倫理学で、「他者危害原則」と呼びます。ミル本人の言い方ではないですが、ミルの思想に由来します。また、言論の自由を、個人の権利というよりは民主主義を機能させるために必要だと考えました。なぜなら、言論の自由によってさまざまな意見が世の中に出回っていることが民主主義が独善に陥らないうえで不可欠だからです。対立意見があることで、人々は真理を探求する必要を自覚することになるし、正しい意見を持っていたとしても、なぜそれが正しいと言えるのか、と常に考えざるを得ない。対立意見がそれぞれ物事の一面を表していて、相互補完的な関係にあることが分かるかもしれません。これもミル自身の言い方ではなく、アメリカの法律家の命名ですが、「思想の自由市場論」と言います。公的領域で人々の視点を複数化することで、私的領域における各人の自由を守るわけです。

公共性による意志決定

ルソー★が『社会契約論』の中で主張する「一般意志」とは、みんながそれぞれ

★ ジャン＝ジャック・ルソー 一七一二―七八。フランスの思想家。一般意志による統治の可能性を探究した。主著に『人間不平等起原論』『社会契約論』など。

勝手に思っていることの総和ではなく、公共性に基づく政治的共同体の意思のことです。公的に正当化されているものでないといけません。この一般意志と全体意志の区別に関しては、高校の倫理の教科書に必ず掲載されていますが、大学の授業でやっても学生には理解が難しいようです。授業をさぼっていた学生は、試験のとき、言葉の印象だけで見当外れのことを書きます。

二つの意志の違いについて少し説明しましょう。学生は授業を「面倒くさいからやめてほしい」と思っているとする。授業をする方の私も、本当は「もう今日はやりたくない」と思っている。ではやめましょうというのが、全体意志です。しかし、実際にはやめないし、学生もそれがおかしいとは言わない。なぜなら授業の場が何のためにあるのかを分かっているからです。大学という機関がどういう目的で設立されていて、自分たちがどういう目的でここにいるのかを考えると、自ずから授業という場の在り方に関して、選択していい意見の範囲に制約がかかってきます。そこで成立するのが「一般意志」です。それを国家レベルで考えるわけです。何らかの目的があって人々は社会契約を結び、国家を創設したはずです。その前提を外れて、自分の利益だけを考える意見は、「一般意志」の形成にカウントされません。

しかし、そうやって国家的目的に鑑みて、自分の意見を形成できるような冷静な人は実際どれだけいるか。人間はもっとわがままではないか。放っておくと、一般意志を語っているふりをして、自分に都合のいいことを言っているだけではないか。常に「一般意志」を志向する強い公共心を持った人間は、人為的に洗脳教育のようなものでもしないと、生まれてこないのではないのか、という気がします。そうなると、「多数派の専制」を通り越して、全体主義になってしまう。アーレントは、『革命について』という著作で、ルソーの「一般意志」は、全体主義につながる可能性があることを示唆しています。

それに加えて、仮にみんなにそれだけの公共心があったとして、どうやって各自の異なる視点を一つの「一般意志」にまとめることができるのか。ルソーは「熟議」が必要だと言っています。この場合の熟議は、みんなが公共性に鑑みて「これが一番正しいのではないか」と意見を出し合うことです。どうしてもバイアスがかかるので、おかしなことを言ってしまう可能性があるわけですね。意見を言い合い、「ここはバイアスがかかっているからおかしい」とお互いに指摘し合い、偏っている部分が取れることで、本来の一般意志と呼ぶのにふさわしいものに近づいていく。それをフランス語で délibération（デリベラシオン）と言います。現在、「熟議民主主義」と言われているものの「熟議」に相当する言葉をルソーは使っているのですね。このような熟議をなすために、「徒党＝部分結社（parti）

の禁止」が必要だとしています。党派を作ってその党派の利害のために内輪の議論をしていると、その仲間うちで意見が固まってしまい、十分な議論ができなくなってしまうからです。すべての意見を「公」にして、全員での議論の俎上に載せる必要があるわけです。「公」にすることで、私的な領域で形成された個人の利己心による偏りがふるい落とされる、ということもあるでしょう。

では、ネットはそうした「熟議」に貢献するか。多くの人が意見交換に参加することを可能にするという面もありますが、先ほどお話ししたように、私的な感情を何のフィルターもなしに表に露出させることで、公的空間を汚染するという面がありますし、ネット上の徒党を生み出し、少し後でお話しする、サイバーカスケードを生じさせる恐れがあります。

「正義の原理」と熟議民主主義

現代の政治哲学者に、制度に基づく正義の原理を強調したロールズ★がいます。彼は有名な「無知のベールの下での合意」という考え方を述べています。われわれが法律の元になる正義の原理を議論するときには、どうしてもバイアスがかかってしまいます。この「無知のベール veil of ignorance」は実際には存在しない

★ ジョン・ボードリー・ロールズ 一九二一―二〇〇二。アメリカ合衆国の哲学者。リベラリズムの復権に大きな影響を与えた。主著に『正義論』『政治的リベラリズム』など。

のですが、どういう制度を採用したら自分にとって便利になるのかという情報を遮断してしまう装置、という意味です。たとえば、もし、自分の年齢、どのくらい稼げるのか、体力、自分が全体の中で占める位置などの情報を瞬間的に忘れさせる装置があったとすると、その装置の下では自分中心的な「正義」の選び方はできないはずだ、と言うわけです。ロールズによると、その場合、もし自分が社会の中で一番不利な立場にいる人であれば、どういう富の配分が一番自分にとって幸福なのかを考えるはずです。その際、資源を単純に平等配分するのではなく、能力がある人たちが頑張って働いて経済のパイを大きくしてくれるよう、ある程度の格差を許容する可能性が高いのではないか、と考えます。それを「格差原理 difference principle」と言います。

すごくユートピア的なことを言っているように聞こえますが、その社会正義とは、私たちの政治社会の現実の延長上にあるものと見ることができます。保険や年金が制度として成り立っているのはどうしてか。私たちは、自分が社会の中でどの程度の立場にいるのか分かっているつもりになっていますが、長期的に見ると、自分がどれだけ有利なのか不利なのかは分からない。急に大きな病気や障害を負うことになるかもしれない。自分の将来が不安で分からないことが多いと、とりあえず一番悪いことが起こった場合に最低限どこで留めておかなければならないか。そういう想像力は普段からある程度働いていますよね。

冷戦時代にそういう正義の原理の原理を掲げることによって、ロールズは、アメリカのリベラル派が掲げていた福祉国家的なヴィジョンに理論的バックボーンを与え、多くの国民のコンセンサスを得ようとしました。「無知のベール」は、弱者としての自分を想像することで、ある程度の再配分を認めるよう、人々を説得するための道具立てと見ることができます。

一九八〇年代半ば以降、後期のロールズは、「熟議民主主義」の問題と取り組むようになります。背景に、八〇年代以降のアメリカの政治情勢の変化があると考えられます。アメリカでは、キリスト教原理主義が大きな勢力になり、大統領選などを左右するようになりました。それに対抗するように、左派陣営でもラディカルな人たちが台頭してきます。黒人の公民権運動や男女平等を求めるリベラル・フェミニストなど、マイノリティや弱者のため権利運動にコミットしている人たちの多くは、リベラルの枠内に留まりましたが、多数派と少数派はアイデンティティや生き方が違うので分かり合えない、合意や平等など目指さず、徹底的に闘争し、既存の社会を解体しなければならない、という態度を取るラディカルなグループが台頭してきました。

そこでロールズは、アメリカの建国以来の民主主義的合意を基礎にして、異なった世界観・価値観を持つ集団の間で、基本的な正義の原理について合意する可能性を探ります。彼は、それらの集団が一つの民主主義国家で共存してきた以上、世界観・価値観の違いを越えて、アメリカという国家を構成する基本的な正義、つまり憲法上の諸原理について、深いところで「合意」しているからだと示唆します。それを「重なり合う合意 overlapping consensus」と言います。バプティスト、メソディスト、カトリック、無神論者、リバタリアン、フェミニスト……などの諸集団が、自らの教義と両立可能な形で受け入れている憲法上の諸原理が互いに重なり合っているということです。この合意に基づく「公共的理由 public reason」、そして、それを駆使する人々の知恵という意味での「公共的理性 public reason」を駆使することで熟議が可能になる、というのがロールズの主張です。

それぞれの宗教団体や思想的集団には、その教義を信奉する人たち同士でだけ通じる内部、プライベートな理屈があります——政教分離した自由主義諸国では、宗教はプライベートな事柄であり、したがって個人の生き方の選択の一部に含まれると考えます。しかしたとえば、妊娠中絶の是非をめぐる法律論議をする際に、反対する宗教団体に属する政治家が、中絶は神の意志に反する重大な罪であり、中絶をした者は地獄に落ちる、と表立って主張するでしょうか。そのように表立って主張すると、他の集団は合意できません。そこで国会や裁判所で通用している普通の法的言語に変換し、憲法や判例などの国民の権利と義務に関わる言葉——生命の尊厳とか、胎児の人としての権利、家族に対する義務など——にいったん翻訳して、自分たちの主張がアメリカの憲法や民主主義の伝統に即して正統であると主張するでしょう。「公共的理由」に訴えることで、自分たちとまったく世界観の違う人、たとえば無神論者であっても、少なくとも自分たちとは関係ないといって無視できないような、公共の場で妥当性のある議論へと仕上げるわけです。そういう風に「公共的理由」を駆使できる能力が「公共的理性」です。「公共的理性」こそが、熟議のカギになるわけです。

ロムニー★が大統領候補になったときも、モルモン教の教義を語ったわけではないし、メディアも「あなたはモルモン教徒だから本音はこうでしょう」としつこく追及しなかった。そういうコンセンサスができている。日本でも、公明党の議員に「あなたは創価学会だから本音はこう思っているでしょう」としつこく追及することは、少なくとも表立ってはやりません。自民党や立憲民主党にもいろんな宗教の信者がいますが、政策に関しては、その宗教の人でないと理解できないような理屈は言わないし、他党やメディアは不必要にその人の世界観や宗教を問題にしない。そういうのは当たり前だと思われるかもしれませんが、ロールズはその当たり前のことが、民主主義が単なる多数決や利害の調整に堕さない

★ウィラード・ミット・ロムニー
一九四七年生。アメリカの実業家、政治家。二〇一二年のアメリカ大統領選挙の際に共和党の大統領候補。

ためには重要である、と考えるわけです。お互いに「公共的理由」を明らかにする。「公共的理由」を示されたら、ちゃんと聴く。そういう姿勢を持っている限り、個別の政策で対立しても敵対関係にはならないはず、ということです。

公共的理性の崩壊

ハーバマスは、こうした熟議民主主義の基礎をめぐる議論を哲学的に一般化して、「コミュニケーション的理性」について論じます。人間には、単に自分の個人の利益を実現するために他人を利用するために相手に働きかけるだけでなく、お互いの考えを本当に理解し合ったうえで、合意を形成しようとする本性があり、それに基づいて自分の発言の仕方や話の聴き方を制御する能力があります。それが「コミュニケーション的理性」です。相手を力づくで黙らせたり、なあなあですませたりするのではなく、ちゃんと自分の意見を知的に理解したうえで受け容れてもらいたいと思い、そのためにいろいろな工夫をする。討議のための基本的ルールを共同で作って、それに従うとか、それを安定させるための制度を作るといったことも、コミュニケーション的理性に含まれます。コミュニケーション的理性が、法の支配を前提とした民主主義の下で、政治的討議のための能力として具体化したのが「公共的理性」だと考えればいいでしょう。ハーバマスは、市民社会において、コミュニケーション的理性が働くための市民フォーラムのようなものがいろんなところに形成され、ネットワーク化することが熟議民主主義のカギになると見ているようです。

私たちのほとんどがコミュニケーション的理性や公共的理性を駆使することができれば、熟議によって物事を決めていくことが可能になるはずですが、実際にはどうか。公共の場で発言していると、人間は次第にコミュニケーション的な本性が目覚め、自分の言動を制御して、行儀が良く、冷静に語れるようになるのか、と言われると、疑問ですね。まさにTwitterがそうですよね。気に入らない人間を無視したり、きちんと話を聞かずに短絡的な印象だけで判断する。自分の気に入らないことをつぶやいたと思ったら、その時点で敵とみなす。嫌な奴だと思ったら、相手の意見を公共的理性に即して評価するどころか、声を聞くのも不快だ、汚らわしい、ということになる。普段、Twitterで第一印象だけで、敵／味方を決め付けている人が、改まった議論をするからということで、いきなりよそ行きの理性的な言葉で語れるようになるとは思えません。

ネット社会では、「サイバーカスケード」と呼ばれる現象が起こります。これはサンスティーン★というアメリカの憲法学者が提唱しているのですが、ネット上

★ キャス・サンスティーン

にはいろいろなサイトがあり、マスコミでは見られない、多様な情報や意見があふれています。多くの人は自分の気に入っている情報や意見ばかり見ようとします。趣味だったらそれも仕方がないのですが、政治に関してもそういう傾向になる。気に入らないやつの意見は、どういうものか決め付けて最初から見ない。あるいは、自分の仲間がその「敵」を攻撃しているサイトを通じてのみ、知ろうとする。当然、悪い情報ばかりです。そのネガティヴ情報を見て、ああ、やっぱり、こいつはロクでもない奴だと確認した気になる。自分のスマホやPCの画面には、味方の意見ばっかり集まってくるので、やはり「味方」は正しいと確信を深める。滝がどんどん下へ降っていくように、もともと偏っていたものが、とめどもなくその方向に偏って、互いに合流するよう重力が働きます。それがサイバーカスケードです。

トランプ大統領が典型ですが、日本でもあまり言論人として訓練できていない人、公共的理性を使えない人が議員や官僚になっていることが多いですね。官僚を何年か務めたエリート議員にもしょっちゅう「失言」で問題になる人がいます。「あれ、官僚ってこんなもんだっけ?」と思うことがここ十数年で増えてきました。昔のイメージだと、官僚は、腹の底は別として、自分の口をきちんと制御し、理性的に見える言葉遣いをできる人たちがやっているものだという感じでしたが、

一九五四年生。アメリカの法学者。専門は憲法学、行政学。著書に『インターネットは民主主義の敵か』など。

意外とそうじゃなかった。特定の分野や関係性ではちゃんとしていても、そこを少し外れると全然ダメなのかもしれません。そういう正体が、SNSの普及のおかげで明らかになったのはいいことだという人もいるでしょうが、Twitter中毒になってしまうと、先ほどお話ししたように、本来私秘的な感情の表明であるはずのものがそのまま公共の空間にあふれ出し、コミュニケーション的理性が鍛えられなくなる、というか退化し続けることになりかねない。

現代日本では、公／私の境界線が曖昧になったことから生じた社会問題が多いですね。たとえば、この講義の第1講（前巻収録）で話題にした、東京青山の児童相談所をめぐる問題★で住民説明会が開催されたとき、そこに児相を建設すると地価が下がるとか、セレブと一緒にいると児相の子供たちが劣等感を抱く、といった意見を述べる人たちがいます。それに対して、保守系の人たちは「昔の日本はそうじゃなかった」と批判する。リベラル系の人は「民主主義をはき違えている」と言って腹を立てている。でも、こういうときの住民説明会は、わがままを言ってはいけない公共の場なのでしょうか。私にもはっきりした答えはありませんが、どうも「公／私」の境界線について根本的な認識のギャップがあるのに、それに気遣いないまま騒動が続いたのではないか、と思います。説明会で反対意見を述べた人たちの中には、自分は行政側（「公」）ではなくて、住民なので

★青山の児童相談所をめぐる問題
東京都港区が南青山に二〇二一年に建設予定の児童相談所、子ども家庭支援センター、母子生活支援施設の複合施設をめぐって、地域住民から「ブランドイメージを損なう」「地価が下落する」等の反対意見が出て問題となった。前巻［赤版］五二頁以下参照。

でしょう。

「私」の意見を言ってもいい、と思っている。それを非難している人たちは、住民説明会が「公」の場であるかのように思っている。あるいはセレブだと自称している以上、セレブとして、つねに公共を意識して発言すべきだと考えていたのでしょう。

第2講（前巻収録）で話題にした明石市長の失言問題★も、公と私の区別が曖昧になった事例のような気がします。役所の中の市長と部下が向き合っている空間が、アーレントの言う意味で「家」的な空間になってしまっている。議会や記者会見の場であれば公共性があるが、役所の内部はprivateな性格を持っているということかもしれないが、当事者たちも、それについてコメントしている人たちも、境界線感覚が曖昧なまま、何となく適当に判断して脊髄反射しているような気がします。

ネット社会になり、社会の情報化が進むと、人に見られているという感覚が希薄になってしまう。失言する政治家や官僚は、本来は公的な場所であるはずなのに、私的な空間での発言やふるまい方とはっきり区別をつけないといけないとは思っていない。そして、メディアもそこで炎上が起こると、公私の境界線が本当はどうあるべきか考えないまま、話を大きくします。社会が情報化していくことで、あらゆる場所が監視・観察可能になって、プライバシー空間がだんだん減少

★ 明石市長による「暴言」
二〇一七年六月、明石市の市長が道路拡幅工事をめぐる地権者との交渉担当市職員に、「（ビルを）燃やしてしまえ。火をつけて捕まってこい」と暴言を吐いた問題が二〇一九年に発覚。市長は辞職するが、出直し市長選で返り咲いた。前巻［赤版］一〇九頁以下参照。

し、オーウェル★『１９８４』の世界のような、あるいはベンサム★の言う「パノプティコン（刑務所などの施設の一望監視装置）」状況に近づいていくという人がいます。ただ、一見するとはその逆の現象、「私」の領域の中に留めておかないといけない感情や暴力的衝動が、簡単に外、公の場に出てきてしまう、という面もある。個人情報という意味でのプライバシーが大事だと言って監視に抵抗する人がいる一方、自分の私的な感情、醜い部分を平気で露出する人がいる。同じ人が同時に両方やっていて、自分では矛盾していないと思っているかもしれない。

アーレント的な「公共性」への対策

では、ハンナ・アーレントは、「公共性」の喪失をめぐる議論をどう展開していったのでしょうか。『革命について』では、フランス革命は恐怖政治に陥って失敗したが、アメリカ革命はある程度うまくいったとして、その違いを述べています。アメリカ人たちには植民地時代からローカルな自治の経験があって、自分たちで議論をしながら政治の仕組みを作りあげていきました。下からの意見の積み上げによって、統治機構を作っていた。自分たちが自由に活動するための空間――ロールズの言い方だと、公共的理性の空間ということになるのでしょう――

★　ジョージ・オーウェル　一九〇三―五〇。イギリス植民地時代のインドに生まれたイギリスの作家、ジャーナリスト。主な著書に『ウィガン波止場への道』『カタロニア讃歌』『１９８４』『動物農場』など。

★１　ジェレミー・ベンサム　一七四八―一八三二。イギリスの哲学者、経済学者、法学者。功利主義の創始者。主な著作に『道徳および立法の諸原理序説』など。左はベンサムが構想したパノプティコンの図。

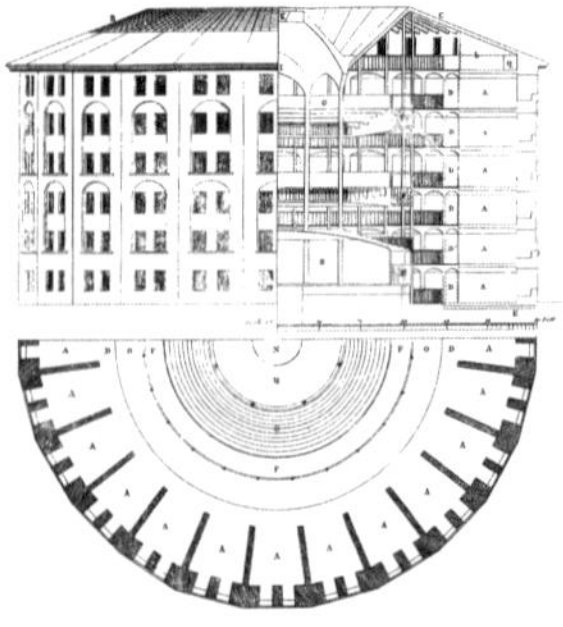

を作り出したのです。それに対して、フランス革命の場合は、ほとんど自治の経験のない人たちが革命をしてしまった。アメリカ人たちは、人々の私的感情がそのまま政治を動かすことを抑止しないといけないと考えて、そのために議論の枠組みを定める「憲法」という仕組みを作りました。それに対してフランス革命の場合、特にロベスピエールは、街に溢れている可哀想（Misérables）な人たち、自分を飾るものがなく、野生の状態に近い人たちに対する人間としての「共感」を政治の中心的な原理にしました。そして旧体制の貴族や僧侶について、人間らしい感情を表さない冷たい人間であると糾弾しました。そして、そういう人間性を失った輩を排除する恐怖政治が続きました。共感し、糾弾する情動を政治の原理にしてしまったことに問題があった、とアーレントは論じています

アーレントによると、政治の場では理性的な人間の仮面をかぶって活動することが重要です。「人格 person」をラテン語でペルソナ（persona）と言いますが、〈persona〉とはもともと舞台で被る仮面のことでした。公の領域では、私的な自分を仮面でしっかり隠して、公共の利益にだけ関心を持つ人として演技することが求められます。私的な領域でどんな価値観や生活態度を持っている人間であったとしても公の領域に出たとき、どのような言葉で語れば他人に受け入れられるのか工夫し、しっかり仮面をかぶるということが制度化されていることが、人々

が好き勝手に利害追求する近代市民社会で、民主主義が健全に機能するための条件だと、アーレントは考えていました。公私の境界線が曖昧になって、仮面を脱ぎ捨てると、情動に突き動かされた人々は、動物の群れのように一つの方向に疾走し始めます。

公共性を技術的に処理するのは

二〇一一年に東浩紀★さんが『一般意志2・0』という本を書かれています。その中で彼が言うには、今までわれわれは、人がそれぞれ公共的理性を身につけていることを前提として考えてきたけれど、それにも限界がある。そういう無理なことを考えるのではなく、ネットを介してAIが人々の欲望を集計し、どうすればみんなにとって一番大切な欲求が最も効率的に実現できるのか、アルゴリズム的に答えを出すようにすればいい、というわけです。アーレント、ロールズ、ハーバマスたちが考えたような、公共的な理性を働かせる環境を残そうという発想ではなく、機械に任せてもいいという発想が、強くなっているという気がします。公共的理性を使える極少数の人間にだけ頼るとエリート政治のようになってしまう。それくらいなら、ネットのようなもので機械的に欲望の最大公約数の実

★ 東浩紀
一九七一年生。批評家、哲学者、出版経営者。著書に『ゲンロン戦記』(中公新書ラクレ)、『動物化するポストモダン』(講談社現代新書)など。

現を目指す、功利主義の方がましだ、という考え方です。

東さんの本は、二〇世紀のうちに出していたら、ファシズムだとか全体主義だとか、これだから功利主義的発想は危ないのだという批判が出たと思います。実際、出版された当時、そういうことを言った人もいると思いますが、それほどネガティヴな反応は起こらなかった。機械に任せるという発想は、かつてほど抵抗を受けなくなったようです。というより、理性的に語れるよう訓練すべく努力しないといけないことに疲れているのかもしれません。

会場から

——政治が暴走しないよう、われわれはどうすればよいか。単に自由であればいいということではないと思います。その自由が正しいかどうかが判断基準になると思うのですが。政治にも普遍的な公共性が必要だと思います。

自由が「正しい」というのは、ミルの言う「他者危害原理」に適っているということであり、「公共性」というのが議論が開かれているということであればいいのですが、あらかじめ「公共の利益」の内容が決まっていて、それに合わせて生きていかねばならないということであれば、自由どころか全体主義になってしまいます。こういう生き方こそが、公共の利益を考えた生き方であると焦って決めてしまうおうとすると、ろくなことになりません。

公共とは何か規定し、他人に押し付けようとする前に、まずは、相手の話をちゃんと聞くことです。人の話をちゃんと聞けないと、公共的理性を発揮することなどできません。大学で教えていると、学生が自分の意見をちゃんと言えないのは、他人の意見を聞けないからだということがよく分かります。ノートを取ることができない。少し複雑な話になると、ついていけないんです。だから、他人の意見を批判的に吟味して、自分らしい意見を形成することなどできない。学生に限らず、人の話を聞けない、メモを取れない、他人の意見をちゃんと聞かないで、すぐにリアクションし、分かりやすい答えだけほしがる大人が増えているような気がします。

――『一般意志2・0』を読んだ感想です。さきほどのお話の中で言及された「熟議」について、ルソーの場合はどうかな、と思いました。東浩紀さんの意見では、ルソー自体が「熟議」に対して、あるいはその「公共性」に対してほとんど評価していないということになっています。ルソーの「熟議」はどういう意味なのでしょうか。

ルソーは「熟議」という言葉を使っています。第二編第三章「一般意志は誤ることができるか」というところで。岩波文庫だと四七頁です。ルソーは「人民が十分に情報を持って審議するとき」、「市民がお互いに意思を少しも伝え合わないなら」と書いています。「意思を少しも伝え合わない」を「熟議しない」と東さんは読み取っていて、それは誤読だと思います。

日本語のまま読むとよく分からないと思いますが、原文だと、Si, quand le peuple suffisament informé délibère, les citoyens n'avoient aucune communication... となっていて、まさに「熟議する」という意味の délibérer という動詞を使っています。熟議民主主義は、英語で deliberative democracy です。「意思を伝え合わない」について、岩波文庫の桑原武夫★さんと前川貞次郎さん★の訳では、カッコの中で「徒党を組むことがなければ」と補足されていますが、この補足が重要です。ここに出てくるコミュニカシオン（communication）を、日本語の「コミュニケーション」の意味に東さんは誤読しているのではないかと思います。フランス語の communication は、「伝達」とか「通知」という意味のほかに、「連絡」とか「交渉」という意味があります。英語の「コミュニケーション」とフランス語の「コミュニカシオン」は微妙に意味が違うんです。東浩紀さんは「徒党を組むことがなければ」という意味の単語は原文に出ていないと言っていますが、問題になっているのは、事前に「連絡」を取り合ってはいけない、交渉してはいけない、ということです。

★ 桑原武夫
一九〇四―八八。フランス文学者、評論家、登山家。著書に『第二芸術論』（講談社学術文庫）、翻訳にスタンダール『赤と黒』（新潮文庫）など。

★ 前川貞次郎
一九一一―二〇〇四。西洋史家。著書に『絶対王政の時代』（講談社現代新書）など。

「意思を伝え合わない」だけでは分かりにくいと思って桑原さんは、補足したわけですが、どうして「徒党」という少し強めの言葉を使ったのかは、その後を続けて読めば分かります。「わずかな相違がたくさん集まって常に一般意志は結果し、その決議は常に良いものであるうだろう。しかし徒党、部分的団体が大きい団体を犠牲にして作られるならば、これらの団体の各々の意思は、その成員に関しては一般的で、国家に関しては特殊的なものになる」と、なっています。まず、「決議」の原語も délibération です。「徒党」に当たる des brigues という言葉は、これは策略とか陰謀、それを操る一味のことです。つまり、「徒党」や「部分社会」が生じてしまって、人々の意見の微妙な違いが消され、団体の利害のためのブロックができてしまうので、熟議して「決議」する前に communication を取ってはいけない、と言っているのです。そういうわけで、文脈からして、ここは「徒党結社を作ってはいけない」で、いいわけです。

――言葉の意味付けが変わってきているのではないか、ということが気になりました。もともと「公」は「建前」で、「私」は「わがまま」みたいな意味があったと思うのですが、ＳＮＳの登場で、「公」は建前、「私」は本音と意味が変わってきているのではないでしょうか。これは本音の方がいい、と価値が逆転したということなのでしょうか。SNSの発達と共に、本音を言うことが良いことだという風潮になってきているようにも思えるのですが。
また、AIによる自動的な判断についても、割と受け入れられています。AIは結局のところ統計だと思いますが、統計では割と思想的なものが脱色されていませんか。SNSの意見の多くは匿名性が特徴になっていると思いますが、匿名ということで許される、一種脱色されていると勘違いしている部分もあるのかなと思います。SNSの意見とAIで出てくる判断は全然違いますが、そこを勘違いしているような人もいるのではないでしょうか。

日本語の「おおやけ」は、日本史で習う「ミヤケ」と同じ系統の言葉で、大きな「ヤケ」ということです。「ヤケ」というのは家のことで、家を中心とした共同体のより大きな単位で、小さな単位よる優先されるべきものが、「オオヤケ」です。これは相対的な概念のようで、個々の武士の家に対して藩は「公」ですが、藩よりは幕府の方が「公」という関係にあって、一番上が、形式的には天皇家ということになるようです。それに対して「わたくし」というのは、「わたくしごと」という言い方に代表されるように、「公」から遠く、優先順位が低い、自分や家族の個人に関わる事柄という意味合いだったようです。もともとの意味合いが、公開されている度合に関係していた public / private とは大分ずれています。ただ、こちらの方も時代が下ってくると、public の方に政府などの「公的機関」に関わる意味が加わり、近代になると private に、家というよりは、「個人的」という意味合いや、「親密で」落ち着く関係という意味合いが加わってきて、ややこしくなりますが。

「公」の方は、行政機関のことを公的機関と言うこともあって、公開というよりは「おおやけ」の意味合いの方が強いのではないかと思います。カタカナの「プライベート」には、若干、日本語の「わたくし」のニュアンスが伴っていたと思うのですが、いつのまにかそれが薄らいで、一番大事な人間関係という、西欧近代由来の意味合いが強まったのだと思います。その際に、大事な人に向ける言葉だからやさしく、丁寧というのではなく、どうせ人に知られないのだからぞんざいでいい、許してもらえる、というネガティヴな面の方が目立ってきたのでしょう。少なくとも、SNSではそうなっています。そうなると、アーレントが批判的に考察しているように、「私的領域」に押し込めておくべき、人間の野蛮で暴力的なものを伴った感情が噴出してくる。本音を言う方が人間らしくていい、という発想も働いているのかもしれませんが、それは人間の本性が基本的に善で、自由にしてやれば、そんなに悪い方向に向かわない、という前提があっての話です。左翼系の運動は、抑圧から解放すれば、人間の自然な素直さが活かされるようになるという発想で、社会変革を進めようとしますが、その結果、本音トークの場であるSNSでは、ネットウヨクがはびこることになったわけです。

露骨に〝本音〟を語ればいい、というトレンドはもう止めることができないという認識から、『一般意志2・0』のような発想が出てくるのでしょうが、単純に、匿名の意見を集計するだけだと、全体意志、つまりみんなの勝手な意見の集合体の中から、公共性のあるものを選別して、「一般意志」を生成することはできません。たとえば、さきほど大学の授業の話で、みんなが「授業をやめたい」と瞬間的に思うと授業をやめるのか。一度やめて解散すると、後ですぐ全員反省して再開しようと思っても、もう遅いです（笑）。会社でみんなが瞬間に「仕事をやりたくない」と思ってその通りに意志決定したら、一日の仕事がダメになるだけでなく、鉄道とか航空とか銀行とかＩＴのインフラとかを扱う大企業だったら、いろんなところに影響が波及して、会社自体が倒産する恐れさえある。国家が戦争をする決定をするとか、攻撃されても抵抗しないというような重要な決定の瞬間をみんなの気持ちで決めていたら、滅びてしまいます。

プログラムを組むときに、「こういう場合はあらかじめ排除する」とか、いきなりすべてを集計するのではなくて、問題を分解して段階的に集計を取って方向性を決めていくようなプログラムが必要ですが、それをどうやって組むのか。誰が組んでも、そのプログラムの正しさが一〇〇％信頼されることはないでしょう。ルソーが「立法者の問題」と呼んだもの、つまり、最初の社会の基本的合意事項を盛り込んだ、憲法のようなものを誰がどういう資格で起草するか、という問題が生じます。シンギュラリティを超えたＡＩには可能かもしれませんが、シンギュラリティを超えたＡＩに任せると、ＳＦによくあるように、「人間がいない方が地球は平穏になる」と判断するかもしれません。

ただ、そういうディストピア的なことを想像する以前の問題として、先ほどから言っているように、Twitter の文章はひどすぎて意味が取れない（笑）。単語くらいは判読できても、文として判読不能なものからどうやって、その人間のディープな欲望を読みとるのか。ツギハギだらけのコピペの文を、何も考えないで脊髄反射している人が多いけど、それをその人の意見と見なしていいのか。人間の方をどうにかしないと、ＡＩもそのつぶやきをちゃんと処理できないでしょう。

――公共的理性の涵養と可能性についてお聞きしたいのですが、アメリカでもリベラルな政党が分断されていて、草の根の議論がなくなっているという観測があります。私の友人が大阪で哲学カフェをしているのですが、それは市民社会に関与するな、というパブリック・インテリジェントな畑で、半分期待しつつ、半分うまくいくのかなと思っています。そこで公共的理性を養う方法、またその可能性についての考えを聞かせていただけるでしょうか。

そういう場も必要だと思いますが、それは哲学カフェというより研究会だと思います。ごく少人数の同じ水準の教養と専門知識の人たち同士で研究会を作ることには一長一短あります。確かに知的議論する訓練になりますが、その反面、仲間内でなあなあになる、スノッブなことを言って自己満足してしまうことがあります。研究会で慣れ合いになって、その会の常連メンバーでないと、同じ専門のプロでも何を言っているのか意味不明なやりとりをしていたり、古参が偉そうな顔をして、適当な蘊蓄《うんちく》話を延々と続けたり、ちゃんと中身を説明しないで、「あれ、確か○○先生の線で解決したはずですけど」、というような分かった風なやりとりで、必要な議論を飛ばす、とかひどいことになりかねない。そういうのが堕落の温床になるというので、「インターディシプリナリー」とか「市民に開かれた」とかが強調されるようになったのでしょうが、メンバーが入れ替わっても、慣れ合い的な雰囲気は変わらない、あるいはフォーラムが拡散しすぎて、オルテガ★が言うような意味での「知識人の大衆化」が起こったりする。研究会で偉そうなことを言っている学者が、Twitterでものすごく低レベルな発言をして、学者をバカにする風潮を助長するというのはよくあることです。

繰り返しになりますが、私にとってコミュニケーションの基本は、耳と手とをフルに動員して、他人の発言、特に自分と敵対しているように思える立場の人、自分にはなかなか関心の持てない分野の人の発言をよく理解するよう努め、少なくとも、その人の主張をほぼ正確に要約できるようになるまでは、「自分の意見」を言うのは控えることです。ただし、聴きっぱなしにするのではなくて、時間をかけて理解した後で、ちゃんと自分の見解をまとめること。

政治に関心のある人はたいてい安倍元首相★が嫌いですから（笑）、彼が幼稚な言葉遣いをしたり、矛盾しているように見えることを言ったりすると、かならず「やはりアベチャン・クオリティ」とか言って、脊髄反射的にバカにしようとする。しかし彼は、おそらく官僚からよくレクチャーされているのでしょうが、少なくとも国会で審議してる時間はほとんどメモを見ないで質問に答えています。少しの変化球だったら、既定路線通りに答えて、やりすごそうとする。あれはなかなかの能力だと思います。大学の教授でも、会議でメモもなしに決まった方針通りの答弁をできる人間はほとんどいません。メモがないと話が飛んだり、不正

★ホセ・オルテガ・イ・ガセット
一八八三—一九五五。スペインの哲学者、思想家。保守主義的な視点から活躍した。主著に『大衆の反逆』など。

★安倍晋三
一九五四年生。日本の政治家。第九〇代、九六代、九七代、九八代の内閣総理大臣。二度にわたって体調不良を理由に総理大臣を辞任。森友学園問題、桜を見る会問題などでは政治を私物化したと批判された。

確なことを言ったりして、ぐちゃぐちゃになることが多い。本気で覚えようとしないと、一〇分も話し続けられないと思います。自分の専門の授業だって、教科書やノートがないとあまり長いこと話ができない人もいます。メモを見ずに決まった方針通りしゃべる能力を馬鹿にする人は多いでしょうが、でもこれは基本だと思います。安倍さんをバカにしている人の多くは、彼と同じくらい長時間にわたって、決まった方針通りに答弁することはできないと思います。新聞記事とかニュースさえちゃんと理解できない人間が、安倍さんを無理にバカにしようとするから、Twitter上の議論はどんどんレベルが下がっていくわけです。

冗談抜きで、そういう基礎の訓練が重要です。議論に参加するときは、賛成・反対双方の意見の要旨を文章でも口頭でも、さっと過不足なく説明できるようにしておくこと。

私は大学で政治思想史を教えていますが、アーレント、ロールズ、ルソー、サンデル★、シュミット★、ミルなどの主要な思想家の基本的な理論については、いつでも三〇〇〜二〇〇〇字くらいの字数で要約して説明できるようにしています。いつでも再現できるようになると、それを批判的に検討し、問題点を指摘することもできるようになります。自分の勉強していることをしっかり記憶して再現できるようになれば、たかが一五〇〇字のレポートが苦痛ということはないはずで

★ マイケル・サンデル
一九五三年生。アメリカの政治哲学者、倫理学者。日本でも二〇一〇年にNHK教育テレビで放映された「ハーバード白熱教室」が話題になった。

★ カール・シュミット
一八八八—一九八五。ドイツの憲法学者、思想家、法哲学者。主な著作に『政治的ロマン主義』『パルチザンの理論』など。

す――うちの文系の一年生は、一五〇〇字以上のレポートを課すと「鬼だ」と言います。自分が意見発表するときは、メモなしでも三〇分くらいはほぼ正確に話ができるよう、常日頃からイメージトレーニングし、記憶をリフレッシュしておくことです。メモはあくまで補助です。相手の話をちゃんと再現できないのに、批判しようという気持ちが働いているとしたら、その人は議論が好きなのではなくて、知ったかぶりをしたいだけです。そういう人を味方だからといって、「君は意識が高い」などと煽ってはいけません。知識人や学者が味方に甘いことが、ネット公共圏の質の低下にかなり貢献していると思います。

第6講

哲学と演劇

芸術の起源と複製芸術

ゲスト　あごうさとし（劇作家・演出家・作家）

2019年6月15日

祭祀（儀礼）と演劇

仲正　今回は、ゲストに劇作家で演出家のあごうさとしさん★をお招きしています。というのも、あごうさんが作・演出され、この八月三日、四日に金沢市民芸術村で上演される『触覚の宮殿』というお芝居に、私もドラマトゥルク（演出家の助言役）として協力しているからです。これはすでに昨年、京都で上演しているのですが、それに音楽の要素を取り入れて拡張したバージョンを上演します。この『触覚の宮殿』というお芝居の中に、かならずしも意図したわけではないですが、私がふだんから哲学と芸術一般、特に演劇との関係で重要だと思っている要素がさまざまに入っています。そこで、あごうさんとの対話を企画してみました。『触覚の宮殿』のパンフレットやホームページには、「儀式のようなお芝居です」との紹介文が掲載されています。二人で話してゆく過程で、この演劇は「お芝居」というより「儀礼」のような雰囲気を持つものにしようと考えました。で

★　あごうさとし
一九七六年、大阪府に生まれる。劇作家・演出家。THEATRE E9 KYOTO 芸術監督。一般社団法人アーツシード京都代表理事。主な演劇作品に、『Pure Nation』（二〇一六）、『触覚の宮殿』（二〇一八）、『無人劇』（二〇二〇）など。

は、この「儀式」と「お芝居」「演劇」はいったいどういう関係にあるのか。両者の関係はある意味当たり前で、歴史学や文化人類学などでは前提になっているような感じがありますが、本質的にどう繫がっているのか、哲学的に総括しようとすると、結構難しいですが、とにかくやってみましょう。

演劇が、宗教的な儀礼を起源にしているのはほとんど間違いないでしょう。ただし純粋な宗教的な儀礼と演劇とは対立する部分もあります。宗教は集団的な慣習です。宗教として行なわれる儀礼は、毎回同じことを反復するのが基本です。違うことをしてしまうと、共同体を統合するという宗教としての機能が果たせません。それに参加することを通して、そこに参加する人々が同じような価値観や生き方を共有しながら共同体を再生する役割が、儀礼にはあります。演劇は宗教から独立するのに伴って、それとは別の機能を担うようになったはずです。

少なくともいったんは宗教から自立化して成立した芸術としての演劇には、劇作家、演出家、俳優、あるいは照明や舞台衣装など、さまざまな人たちが関わります。こうした集団的な営みであるという意味で、絵画や彫刻に比べると、宗教とは違う集団性があります。

舞台上で、台本通りの一連の動作を繰り返しますが、しかし毎回まったく同じことの繰り返しだったら、観客の関心がだんだん薄れていくので、おそらく芝居は成立しない。違ったメンバーが演じるとか、違う時と場所で演じられることで、違った要素が入って来る。そういう変化を期待して観客は見ているわけです。演技＝行為の多様性と、それを見る観衆の視点の多様性を前提とする演劇は、同一性を維持することに主眼がある宗教儀礼と異なります。

舞台の空間と祭礼の空間の似ているところと違うところが際立つポイントは、他に三つあります。まず、似ているところは、「約束事の空間」だということですよね。一つの約束事、これこれの意味を持っていることがなされているというフィクションが共有され、そこに臨む者はこういう態度を取らねばならないという了解が成立している。宗教の場合、その約束事が固定化していて、フィクションであるということを公言してはいけないのに対し、演劇では、フィクションであることが公になっていて、制作サイドが観客の反応を見ながら、どんどん新しいフィクションを作り出していく。

次に、ある空間を囲い込み、参加者の全感覚をそこで行なわれていることに集中させます。宗教でも演劇でも野外で行なわれることもあるが、パフォーマンスが行なわれている空間は、外から隔絶した特別な空間と見なされます。ただ、宗教の空間は固定しないといけないのに対して、演劇の空間は移動可能ですし、メンバーも固定していません。その空間にいるメンバーの五感を集中させるための手法は、宗教では固定化しているに対し、演劇では、自由で、むしろいろいろ工夫しないといけません。

それから参加者同士の距離感があります。儀式の後では、共同体がより一体化していなければなりません。そうでないと意味がない。お芝居も、役者が演じる前と後では観客との距離感が縮まっていないといけないはずです。ただ、お客さんにそれを強制できない。一部の前衛演劇のように、わざと反感とか不安を抱かせて、観客を反発させるものもあります。距離感が変わるのは間違いありません。演劇の場合は、いろいろな変わり方があるでしょう。いったん宗教から自立した演劇は、共同体としての観衆が固定されていないので、いずれにしても共同体感覚をどんどん強め続けることにはならないと思います。どんな強いファンクラブでも、みんなが同じ価値観で固まることはないでしょう。芝居を見ていない時間は、全然違う生活をしているのだから。

今回の芝居は、とくに「儀礼」を意識して作ったのですが、「演劇の儀礼的要素」という考えにどうやって至ったのか、あごうさんに話していただきます。

あごう　普段は京都を拠点に舞台作品を作っています。「THEATRE E9 KYOTO」という新しい劇場を作るプロジェクトに携わっていて、二〇一九年六月二二日がオープンです。私どもの劇場と金沢の芸術村との共同事業として、京都と金沢で公演をするところです。仲正さんとは、二〇一一年一二月から一緒にお芝居を作っています。仲正さんとお仕事を始めたときに、ヴァルター・ベンヤミン★のテキストを背景にした連作にすることになりました。

これは簡単にいえば、無人劇、誰も出ないお芝居を五回ほど上演してみて、それがどういうものかを考えるというプロジェクトです。一般的には、演劇は俳優が最も本質的な存在で、俳優が一人存在すれば演劇は可能である、俳優がいなければ演劇は可能ではない、と考えられています。演出家や照明家などいなくても、俳優こそが本質的な存在であるという考え方です。では、その本質的な存在である俳優さんが舞台に存在しなくても、演劇は成立させられるのだろうか、ということを考えるための作品づくりでした。

その過程でいくつかの連作をつくって、誰も出てこないようなお芝居を何作品か作ったときに、改めて俳優の存在とは何か、あるいはお客さんとの関係は何かを考えることになりました。演劇の基礎的な力学みたいなところに、より強い関心を持つに至ったのです。それは俳優さんがいなくなったときに、お客さんを誘導する力を見出さなくてはならないということです。俳優さんが何か「演技」をしてくれれば、「演技」がおそらく強い力を発揮して、お客さんを誘導する力

★ ヴァルター・ベンヤミン
本書八二頁の脚注を参照。

になるわけです。何かをどこかに導く、何かを支配する。その存在がいない場合に、光や音など人間の以外のもの、あるいはお客さんの存在そのものをお借りして、作品を作ってみたわけです。その「誘導する力」については、俳優が存在しないことによってより厳格に立ち上がる、という経験を通して気付かされました。劇場空間に立ち上がる力、あるいは政治的な力、あるいは権力的な力、あるいはコントロールできない力、そういうものがよく見えてくるようになったんですね。こうした力学的な構造の中で演劇が稼働していることを考えてみたとき、儀礼的なシチュエーションと重なってくるところを感じたのかもしれません。

　私たちは宗教儀礼をしているわけではない。何か大きな、たとえば神様の素晴らしさを伝えるためや、何かしらの政治的なイデオロギーや大きな物語を伝えるためにこういう装置を作っているのではありません。「私」の個人的な思いや考えであったり、美しいと思う時間であったりを作ることですから。その意味においては、「儀礼」とは根本的に違う、と考えています。

「アウラ」をめぐって

仲正　ベンヤミンの話をしてもらったので、そこから「儀礼」に繋げてみたいと思います。ベンヤミンの「複製技術時代の芸術作品」は、ニューメディア論を勉強している人なら一回は読んでおくべきテキストです。カメラや映画をはじめ新しいメディアの登場によって芸術がどう変化していくのかを論じた論考です。

この論考の最初の方で、芸術作品には二つの価値から構成されると述べています。「礼拝価値 Kultwert」と「展示価値 Ausstellungswert」です。宗教から分化したばかりの芸術は「礼拝価値」を多く帯び、「展示価値」はごくわずかでしょう。それが次第に逆転してきた、というのがベンヤミンの芸術史の基本的見方です。「礼拝価値」の典型は、儀礼で使う呪具が帯びている神秘的な、周囲の空間の性質を変容させる存在感のことです。呪具はその場にある必要はありますが、はっきり見える必要はない。神殿の帳《とばり》の中とか、旧約聖書に出てくる、契約の箱に収めて、一般信者は見ていけないことにしておく。あるいは年に一回、数年に一回の儀礼のときに少しだけ見せることで、ありがたさを増す。「展示価値」はむしろ積極的に見せる、人々の知覚に絶えず刺激を与えることで価値を帯びます。といっても、両者は正反対のものではなく、前衛芸術でも、何か神秘的なものが隠れているような感じを見せて、関心を惹きつけることはあります。

芸術作品がどれだけ「展示価値」優位で創作されるようになっても、不可避的に「礼拝価値」の残像のようなものがまとわりつきます。それをベンヤミンは

「アウラ」と呼んでいます。いわゆるオーラですね。

ただ、ベンヤミンの言う「アウラ」は後光みたいなものではなくて、自然物を含めいろんな事物にまとわりつき、別に霊感のない普通の人でも感じることのあるもので、特定の人物や事物の周囲の空間が、何か変質して、磁場のようなものが生じている感じを言うようです。ベンヤミンは具体的な例として、一九世紀の人物写真で、光の張り具合で、人物の周囲に影ができて、黒い霧のようなものが漂っているような感じになっていることを挙げています。技術的な問題でできる陰影にすぎないのですが、それがその人物特有の存在感を出していれば、アウラだと言います。

呪具は、それが他の似たような道具では取り換えのきかない特別な存在であることによって人々に強い印象を与えますが、芸術作品はそれがかけがえのない唯一のものとしてそこにあることで、展示価値だけではく、アウラ的なものを帯びます。写真やレコード、映画などの複製技術によって何度も復元可能なものが芸術作品と見なされるようになると、「かけがえがない」という感じがなくなっていきます。初期の写真は境界例のようなものでしょう。ベンヤミンは、複製技術がアウラを衰退させ、芸術作品を純粋に展示価値だけのものにすると期待しました。人々の意識の奥底にある太古のもののイメージやそれへの憧憬に依拠することなく、人間の知覚能力をフルに活性化させ、物をきちんと観察できるように変革していく力を、映画などの複製技術を応用した芸術作品は持っている——ベンヤミンはそう考えます。映画だと、クロースアップとかスローモーション／クイックモーション、モンタージュ、ショットの変更などで、身近な事物や人間の身体を詳細に観察し、正確に把握する訓練になります。むろんそれとは逆に、映画は大衆を幻惑するという議論もありますが、ベンヤミンは、プロレタリアートは映画などで自らの知覚を鍛えて勝利できるだろうと期待を寄せていました。

ベンヤミンによると、映画は、舞台演劇の俳優が帯びるアウラを解体します。映画は映画でアウラを生み出すとも言えそうですが、一応どういうことが言いたいのか理解できますね。そうしたベンヤミンの議論から、演劇のアウラに関する私の意見を述べておきたいと思います。

日常的な生活では、私たちは、人の身体のアウラをほとんど感じません。そのようなものを想像することさえありません。しかし舞台という特別な場は、他の人が出入りできず、照明や音響で役者の身体の動きに聴衆の関心がしばらくのあいだ集中せざるを得ない状況を人為的に創り出す。そうすると、役者の身体とその動きが、儀礼的な衣装や呪具と共に動く儀礼の中の人物のように見える。役者の身体の周りの空間が異質であるような状況を作っているわけですから、人工アウラを作っていると言えます。舞台を暗くして、役者の身体だけが浮き上がるようにするのは、初期の写真のアウラと似た効果がありますね。

私があごうさんの創作で最初に協力したのは、さきほど彼が言った、ベンヤミンの言説を手掛かりにした無人劇です。人間の身体がないとき、われわれは「アウラ」を感じるのでしょうか。舞台上に役者がいて、私たちは彼を注視しているとします。役者が動き始めると、特に意識しなくても、目がその動きを追い、耳が声や動作の音を追いかけます。近いと、その役者の体の動きによる振動や風の動きの変化をじかに触覚的に感じるかもしれないし、身体や衣装、道具などの匂いがするかもしれない。離れていても、照明や音響の影響は受けるし、役者の声は響いてくるし、何かの拍子に役者と目が合うかもしれないし、周囲のお客さんと役者の間で暗黙の裡《うち》に進行している相互作用の影響を受けるでしょう。劇の進行に伴って、役者の身体と私たちの身体が、微かに共鳴、同期化しているような感じがします。そういういろんな要素が「アウラ」を構成しているのでしょう。

それが映画のスクリーンに映る映像だとします。舞台で映像が流れ始めたら、人間が目の前に立っているときとは違うリアクションになるだろうと思います。緊張感のようなものは薄くて、気楽なものになり、身体の共鳴のように感じる可能性は低いです。人間が実際に立って動いていると、何か起こっているなという感じがある。実際にはこういう風に何も大したことをしていなくても、目の前に立たれて普通と違う動作をされると、何か働きかけている感じがする。人間の身体がその場にあって、自分に迫って来るという緊張感、周囲の空間の性質を変化させているという感じ。人間と人間がそばにいれば、何らかの形でそういう緊張感があり、身体の間で相互作用が起こっているかもしれませんが、普段はいちいち気付かないというか、気にしていたら生きていられません。演劇とは、そういう効果を最大化することなのですね。あごうさんの演劇は当初、映像の効果で身体のアウラを代替できるのかということに焦点があったのですが、『Pure Nation』という作品以降は、逆に身体そのものに関心が移り、身体が身体の間ではどうコミュニケーションしているのだろうか、と考えるものになっています。

演劇にとって身体とは

仲正　『Pure Nation』でも今回の芝居『触覚の宮殿』でも、役者をほぼ裸体に近い状態にしていくうえで、私がかなり貢献しました。あまり良識的な市民の声など気にすることはない、というより、気にして配慮しているように見えたら、興ざめになると強く主張しました。身体がそこに現前していても、服を着ていると、ピンとこない部分があるので、まず服を取ってみようとなったのです。

服を取っていない状態で人間の生の身体を見ると、人間の身体が性的な存在でもあることを直接感じざるを得ません。服を着ていない人間が迫ってくると、相手に与える影響がまったく違う。今回の芝居は、基本的に言葉に誘導される形で進行しますが、その進行過程で身体が言葉にどのように働きかけ、お互いの関係性にどういう影響を与えているのか探求してみました。普通の発想だと、一人の役者が他の役者に語りかけ、相手がそれに対して言葉で返答しながら、何かのリアクションをし、それに最初の役者がまた反応するというように、言葉のやりとりを軸に物語が動いていきます。しかし、実際に役者の体の動きをクローズアップの映像で見ると面白い。しゃべり始める前に、体が少し動いている。たとえばこちらを向いて話しかけようとすると、言葉を発する前に、腕や腰、首が少し動く。服を着ていると分かりにくいですが、裸体にすると、筋肉が動いているのがはっきり見えます。唇の動きは特に面白い。声が実際に聞こえ始めるゼロコンマ何秒かに前に、唇が振動します。クローズアップで見ると、わざと少し映像と音を少しズラしているように見えます。声を出す前に唇の筋肉が緊張してぶるぶる震えています。どんなにうまい役者でも、かならず唇の方が先に振動します。

身体レベルですでに動いているんです。互いに身体的に影響を与え合ってから、後から言葉がついてくる。言葉が発せられる状況、口調やタイミングを身体が規定しているように思えます。人間は、互いを覆っている「アウラ」に反応し合っているのかもしれません。

あごうさんは、『Pure Nation』や『リチャード三世』など、俳優のむき出しの身体を演出の軸にした劇を作ることについて、これまでどう考えてきましたか。

あごう 誰も出ない芝居と向き合うということは、人間誰しもが「失ったもの」について考えることなんです。ふだんは俳優に「その演技いいですね」とか「そのセリフの言い方こういう風に変えてください」とか、あるいは「こういう風に動いてほしい」とか、稽古のときにいろいろ言うわけです。でも、それはいったい何を「良い」と思っていて、何を「悪い」と思っているのか。自分もふくめて、誰に向かってその表現を積み上げていくのか。「俳優とは何か」を考え始めると、あるいは劇作家的な立場からすると、俳優と私がどう対峙すれば良いのかを、改めて考える契機になりました。一つは私と俳優との関係性。もう一つは、俳優とお客さんとの関係性、あるいは作品そのものとの関係性についてです。『Pure Nation』という過去の作品を考えると、俳優が誰もいない芝居との対比で考えると、俳優とは誰かを誘導する力を持っている存在だと考えられるし、お客さんにダイレクトに何か関わっていく存在だとも概念的に考えられるわけです。

改めて俳優を登場させたわけですが、最初は生のままでは登場させませんでした。その前の段階の像を作るために、「カメラ・オブスクラ」という、カメラの原理的な機構を利用しました。昔のカメラは「ピンホール・カメラ」といって光を投影して逆さに写真が映ります。その原理を利用して劇場をレイアウトしました。私たちはよく「ブラックボックス」という形式の劇場を使用しますが、これは黒い箱型の劇場です。ただの箱なのでレイアウトしやすいのですが、「カメラ・オブスクラ」を利用したこの劇場はど真ん中に壁があり、客席と舞台を完全に区切ってしまう。そして壁の向こう側では、たとえば煌々と、ありったけの照明を持ってきてめちゃくちゃに明るくする。そして真ん中に二メートルもないような小さな穴を開けます。すると、私たちとみなさんの間に壁があるとすると、いまこの場にいらっしゃるみなさんの姿が、私たちの側の壁に天地反転になって光の像として映し出される。しかもそれが写真ではなく、今こうやって動いている通り動きます。光学に従って、光の像が動画のようにこちらには動いて見える。そういう仕組みが作れるわけです。

その光学的かつ原初的な原理を使って、あるパフォーマンスを作りました。それはダイレクトにお客さんの目に入るというよりは、光の像としてお客さんと関わるのが目的です。これはカメラの光学的な原理ですから、ズームもできます。非常に簡単な原理で、遠くにいれば非常にぼんやりした、光の魂みたいな感じでしか映らないところも、フワフワした感じになります。それを操作すると、だんだん輪郭がはっきりしてきて、穴の前に立つともう壁一面が顔になるくらい、巨大な絵が浮かび上がってくるのです。

位置が悪いと見えにくいのですが、そうでなければアナログでもかなり高解像度で写ります。普通のデジタルカメラであれば、今だと一秒間に六〇コマが一番多いコマ数ですよね。テレビだと三〇コマ、映画だったら二四コマかな。いずれにしても、連続的に見えている画でもどこかで途切れている。三〇コマと六〇コマの画を比べていただいたら、六〇コマの方がなめらかに動いているように感じられると思うのですが、アナログの場合は一切途切れがないので、モーションそのものをきわめて滑らかに、ヌメッと動いていくものが見られます。かつ、顔や身体などへの接写が可能になり、身体に対して細かく、つぶさに観察できるような状況が生まれます。

こうした「カメラ・オブスクラ」の状況を、「身体を失った」と形容することもできますが、身体そのものがセリフや言語以上に語っていることも当然多くあります。『Pure Nation』では、何人かのダンサーに出演してもらいましたが、ダンサーが身体そのものが語ることを示すわかりやすい例だと思います。ダンスという形式をも超えたもっといい加減な部分、つまり制御されていない部分に関しても、つねに何かを私たちは発信し続けています。それは寝ているときですら発信し続けているだろうし、たとえば誰ともコミュニケーションをとりたくない、と他者と断絶した身体ですら、つねに何かを発信し続けている。人の身体が「何かを言わない」ということはありません。場合によっては、死んだその身体ですら何かを語っている可能性があるわけです。

とりわけ私が「身体が持っている言葉」に関心を持ったのは、身体、あるいは身体の接写のような手法によって、その身体的な言語みたいなものを知ったからです。たとえばその「接写」や、直ちに言語化できないような現象が目の前に現れたときですら、私たちの身体はつねに何かしら反応していて、何か言葉を発し続けているのだ、と思うに至ったからです。それが非常にピュアな言語体系を持っている可能性もありますね。

仲正　『Pure Nation』という芝居に関してですが、あごうさんが説明されたカメラ・オブスクラの状態で、その反転したぼやっとした映像を見るとき、観客の周りは真っ暗になっている。隣の観客の姿さえ見分けられません。目の前で、ぼやっと光っている、小さな映像空間だけに目を向けざるを得なくなる。最初は役者さんたちの姿もぼやっとして、あまり動いていないのですが、光が現れると、目の焦点がだんだん中心になって動いてる役者に固定化されるようになります。

役者さんたちの映像は、ふわふわした感じで動いていて、しばらくするとようやくそれが逆立ちした像と分かってきます。

ぼんやりした映像が現われたり、消えたり、大きくなったり小さくなったりするのをじっと見ているうちに、首にちょっとした痛みを感じました。なぜかというと、目は映像の急な変化にすぐに対応しようとするのに、首の動きがついていかない。おそらく暗闇の中で壁に映し出されている映像が小さかったせいでしょう。映画館はそんなに決定的に暗くないし、スクリーンが広いので、視線の動きが比較的ゆっくりですね。しかし真っ暗な中でわずかな光が見えると、目がそれこそ脊髄反射的に反応するのかもしれません。五分間くらい「映像」と「自分の姿勢」の関係が不安定で、緊張感が続きました。あごうさんの芝居が今後どうなるかはわかりませんが、観客が狭くて暗いところで、舞台をじっとして見つめるよう強いられるパターンが多いんです。狭くて暗いところで、一点集中で映像を見ているところへ急に撹乱要因が入ってくると、安定しようとすると首と動こうとする目が反撥し合うわけです。

人間の身体は、首の向きを調整して、少々視線を動かしても、首を回転させなくてもいい体勢を取ろうとするのではないでしょうか。決まった大きさの舞台だと、首の位置はそんなに変えなくていいでしょう。前衛系のミニ劇場や身体性を強調する芝居だと、舞台の幅も、観客席との距離も違うし、照明もピンポイントだったり、目に対する刺激が強い色を使ったりするので、普通とは違う見方をせざるを得ない。そういう限定された、不安定な舞台で予期しない動きがあると、ぐっと首を引っ張られるような感じがする。むろん、集中して見ていることが前提ですよ。居眠りしていたらそれは効かないです（笑）。

今回の芝居も照明をどうするかはこれからの検討事項です。私が最初にドラマトゥルクとして協力した『パサージュⅢ』やそれに続く『バベルの塔Ⅰ』などの作品では、お客さんに会場を歩き回ってもらい、ちょっとした機械仕掛けを使って視線や聴覚を誘導し、芝居を見るため、体を動かしてもらいました。むろん、体をこちち側に動かしてくださいと単純に指示するだけでは、芝居ではありません。軽い運動か、それこそ儀礼になってしまう。今回の芝居では、お客さんはそんなに動きませんが、ポスターになっている彼の身体の動きを中心に、人間の身体が言葉や音楽や、他者の身体との摩擦などを通して、どのように微妙な筋肉の動きをするのか。

仲正　この後の話の前提として、古代ギリシャの演劇についてお話ししておきましょう。ニーチェ★の『悲劇の誕生』で論じられているように、酒神ディオニュソスを祀《まつ》るお祭りで、ディオニュソスを讃えるディテュランボス（ディオニュソス賛歌）と呼ばれる歌を五十人くらいの合唱団で歌い、踊ることが、悲劇の起源とされています。ディオニュソスはお酒の神様なので、その信者の集団は狂乱状態になって野原を駆けまわったとされています。ディテュランボスの中で、ソロのメンバーが他のメンバーと歌でやりとりする形態があって、それが古代ギリシャの悲劇の原型になった。これは非常によく知られた話です。

古典的な演劇には「コロス」が出てきます。「コロス choros」は、「コーラス chorus」の語源です。近代の演劇もコロスを使うものがあって、これは主だった登場人物が属する共同体の民衆の声を代表するものとされています。役者同士の台詞のやりとりの合間に、コロスが民の知恵として、そこでなされていることにコメントするという形を取っていたわけですが、ニーチェは『悲劇の誕生』で、コロスのそういう位置付けは、悲劇の起源を忘れた近代人の後付けによる歪

★　フリードリヒ・ヴィルヘルム・ニーチェ
本書二九頁の脚注を参照。

曲だと主張します。ディオニュソスの信者たちによる、日常性を破壊し、野生のエネルギーを発散する営みだったものが、いつの間にか役者同士の言葉のやりとり（ロゴス）へと重点が移っていく。それにつれて、コロスもディオニュソスに憑かれてディテュランボスを歌い踊る集団から、共同体の知恵をロゴス化する機関としか見なされなくなった、というわけです。最初は「音楽」、整ったアポロン的な音楽ではなく、秩序を破壊する原始的な情動に対応する音楽が主だったのが、ロゴスが主となるにつれて脱音楽化していく。ソクラテス★の問答のような、「対話 dialogos（dialogue）」の方が主要な要素になります。対話を軸に物語が進んで行く近代演劇は、ニーチェに言わせれば、ソクラテス以降の西欧世界を支配するようになった「ロゴス中心主義」の帰結です。これは同時に脱宗教儀礼したということでしょう。儀礼的な要素は、個人としてのアイデンティティを付与された、つまりペルソナを被った役者同士の「対話」が中心になっていく過程で、神がかりの祭りとしての要素も当然、消えていったと見るべきですね。

演劇通の人には、悲劇と喜劇を対等に扱う傾向があります。悲劇の方が高尚だというイメージを持っているとド素人っぽいので、悲劇と喜劇は芸術として対等だと言う人は多いと思います。一応理屈は付けられます。人間の感情において「悲しい」と「おかしい」は必ずしも排除し合う関係にはないし、前衛劇、不

★ ソクラテス
本書七九頁の脚注を参照。

条理劇には喜劇か悲劇か分からないものが多いからです。しかし、ニーチェ――というより元はアリストテレス★ですが――に従ってギリシャにまで遡って歴史的に考察すると、西欧の演劇は主として、ディテュランボスの合唱と舞踏を起源とする「悲劇」から発展してきました。日本語では「悲劇」と訳しますが、tragedyの語源のtragōidósは「trágos（山羊）の歌」という意味です。この「山羊」は、ディオニュソスの従者で、上半身が人間で下半身が山羊という姿の半人半獣の精霊であり、性欲の象徴とされるサテュロスのことです。「悲しさ」とは関係ありません。では、なぜ「悲しい劇」と解されるようになったか。ニーチェの解釈によると、各人のアイデンティティ（個体性）を崩壊させようとするディオニュソス的な恍惚の中で、既存の世界の秩序に抵抗しようとする主人公の没落していく運命が描かれているために、観客がそこに悲しさを覚えるわけです。エディプス・コンプレックスで有名なオイディプスを主人公にした、ソフォクレス★の『オイディプス王』は、まさに運命によって自分のアイデンティティを狂わされる――自分の実の父の殺害者になり、母の夫となり、自分の息子や娘と異父兄弟の関係にある――主人公の没落を描いた作品ですね。

文学史ではアイスキュロス★、ソフォクレス、エウリピデス★の三大悲劇詩人が出てきます。ニーチェによると、アイスキュロスはまだディオニュソス的な雰囲気

★ アリストテレス
前三八四―前三二二。古代ギリシアの哲学者。プラトンの弟子。人文学から自然科学にいたる学問の体系を築き、「万学の祖」と呼ばれる。

★ ソフォクレス
前四九七頃―前四〇六頃。古代アテナイの三大悲劇詩人の一人。代表作に『アンティゴネー』『オイディプス王』など。

★ アイスキュロス
前五二五―前四五六。古代アテナイの三大悲劇詩人の一人。代表作に『縛られたプロメテウス』など。

★ エウリピデス
前四八〇―前四〇六。古代アテナイの三大悲劇詩人の一人代表作に『アンドロマケ』『トロイアの女』など。

の作品を作っていましたが、ソフォクレス、エウリピデスと時代が下るにつれ、恍惚感ではなく、ロゴスによるやりとりで構成された芝居に移行します。

エウリピデスはソクラテスとほぼ同年代ですが、ニーチェに言わせると、ソクラテスの対話篇のように、理屈っぽくて、主人公を独立した個性を持った人として描く傾向があります。エウリピデスの悲劇に、バッカス――ディオニュソスに対応するローマ神話中の酒の神――の信者の女性たち（バッカイ）が狂い回る『バッカイ』という作品があります。ディオニュソスが大勢のバッカイをつれて帰ってきますが、当時のテーバイの支配者であった彼の従兄ペンテウスはそれを快く思わず、ディオニュソスたちを監視し、勢いを止めようとする。しかし信者になっていた彼の母親と叔母たちが、彼を獣だと信じて首を引っこ抜いて殺してしまう、という残酷なエピソードです。ごく普通に考えるとものすごく残酷な話が多いですが、「前口上＝序文 Prologos（Prologue）」を導入するとか、コロスの役割を縮小する、対話という形でロゴスの対立を際立たせるなど、脱音楽化を進めている――とニーチェは言っています。

それに加えてニーチェは、エウリピデスの劇には、観客である同時代のポリスの市民の目線で事態の進行を見つめる人たちが登場することも指摘しています。それは役者の一人であることも、コロスであることもあるでしょう。観客と同じ普通の市民の目線で、舞台の上で起こっていることを見るのは当たり前ではないかと思うかもしれませんが、先ほどからお話ししているように、「悲劇」はもともと「我」を忘れて集団的熱狂の中に溶け込むディオニュソス的な祭りだったわけですから、日常とはかけ離れていたわけです。市民的日常の視線で、悲劇的運命に巻き込まれている人の運命を見れば、自らバッカイのように狂うというより、アイロニカルに見つめることになるでしょう。それはソクラテスの視線です。その意味で、エウリピデスの悲劇は、彼やソクラテスより一世代くらい後の喜劇作家アリストファネス★に本質的に近いものです。ニーチェによると、喜劇は、ディテュランボスとは逆に、進行中の事態に対して距離を取ってみる、アイロニーを本質とします。政治家やソフィストなど、ポリスの有力者が熱を込めてやっていることを、距離を置いて描き出すことで、滑稽さを出すことをアリストファネスの喜劇は特徴としています。

ただ、喜劇という様式の起源はそれとは別のようです。アリストテレスの『詩学』によると、「喜劇」もディオニュソス祭りの一部としての「男根崇拝《ファルス》」の行列を起源にしているということです。男根に見立てたファルスの張りぼてを先頭に立てて練り歩き、卑猥な冗談を交わしながら、男根崇拝歌を歌ったのが起源だということです。サチュロスの歌を意味する tragōidós と同じ祭礼から派生した、

★ アリストファネス
前四四六頃—前三八五頃。古代アテナイの喜劇詩人。代表作に『鳥』『女の平和』『蛙』など。

ということになります。ちなみに古代ギリシャ文学は、基本的にすべて韻文で、音節ごとの長短の韻律をつけて歌います。演劇もそうです。小説のように散文を基本とする近代の演劇と比べると、ギリシャの演劇は台詞からして音楽的な性格を持っていたわけです。

前口上の位置づけ

仲正　文学作品などでどうしようもない困難な状況が生じたときに、急に救いの神が出てきて問題を解決するような設定をデウス・エクス・マキナ（機械仕掛けの神）と呼びますが、これはもともと古代ギリシャ演劇の演出で、実際、機械に載せて神を登場させていたようです。この演出方法を、劇の構成において本格的に利用し始めたのは、エウリピデスです。ニーチェによると、エウリピデスは演劇をロゴス中心主義的なものにし、秩序を破壊するディオニュソス的な原理ではなく、秩序を形成するアポロン的原理が優位な芸術にしました。

演劇に「前口上」がありますよね。役者さんらしき人が出てきて、芝居の物語の背景や、これからどんなことが起りそうか説明する部分です。これはギリシャ語でプロロゴス（prologos）と言います。英語にすると、prologue。ロゴスに、「前に」という意味の接頭辞プロ（pro）を付けているわけで、前に置くロゴスということです。プロロゴスを本格導入したのもエウリピデスです。ソフォクレスの『エディプス王』や『アンティゴネー』などは、いきなり芝居に入ります。登場人物の会話の中で、どういう神話のどのエピソードに関わる話なのかが徐々に分かってきます。ギリシャ神話に習熟しているはずの観衆が集中して聞いていれば、理解できたでしょうが、そんなに親切な感じではありません。それに対してエウリピデスは、プロロゴスであらかじめ、それがどういう神話でどう解釈して作品を構成しているのかを明らかにし、聴衆にその枠組みを受け入れてくれるよう働きかけるわけです。

そこであごうさんにお聞きします。前口上的なものについてですが、芝居を始めるときに、「これはこういう芝居です」と、ある程度は提示しますよね。たとえば身体性を直接的に強調するような芝居の場合、前口上はどういう役割を担うのでしょうか。

あごう　歌舞伎や古典劇だと、そういう形ではありません。たとえばチラシに書いてあることや芝居のイメージは、すでにお客さんに提示されています。あるいは私自身が冒頭で簡単にご挨拶することもあれば、何もしないこともあります。

開場して芝居が始まるまでの時間をどうするのかというのは、いろいろなケースがあります。舞台が雛壇になって、座席に座っていただく一般的な劇場の場合は、入場時に音楽を流していい雰囲気にしようということすらあまりなく、何もしないこともあります。開演して芝居が始まった最初のコンタクトのときに、お客さんとどう接するのかについても、作品ごとにさまざまですよね。

仲正 実際に見ていないと分かりにくいと思うのですが、『バベルⅠ』という芝居を最初に京都で公演したときは、プレハブでバベルの塔★の模造を作り、そこにお客さんを誘導していって、その中に流れる映像や音声の刺激を受けながら、自らが芝居の一部になり、物語＝バベルの塔を作る体験をしてもらったわけです。その誘導をどうするかについては、あごうさんと議論になりました。彼は機械的な指示だけ出して、お客さんに自動的に動いてもらうことにこだわっていたのですが、この芝居の場合、バベルの塔にお客さんに主体的に入ってもらうので、いくらなんでも自動的に動くことはないのではないか。自動的に入っていくにしても動きは散漫になるから、誘導を必要とせざるを得ないのではないかと私は主張しました。結局は誘導することになりましたが、では現場でどうやってそれを伝えるのか、また議論になりました。そこで自分の動きや言葉で説明するだけで

★ バベルの塔
旧約聖書の「創世記」に描かれた巨大な塔。新技術を用いて天に届かせようと建設が始まったが、神の怒りに触れたとされる。左はアタナシウス・キルヒャーが描いたバベルの塔。

なく、紙を渡して大まかなことを伝えたうえで、誰かがみんなの先頭に立って先導することにしました。誘導役を設けたわけです。その場合、誘導役を担うのは、役者かスタッフか監督か、微妙ですね。今回の『触角の宮殿』だと、役者さんの一人が「前口上」らしきものを述べるのですが、純粋な前口上ではなく、「前口上らしきものを語る役者」を演じてもらうことで、間接的に劇の構造を示すという複雑な役割を担うことになります。

これは今後の課題であり続けると思うのですが、どんなお芝居でも、事前に物語をどこまでお客さんに知っておいてもらうかが問題になります。歌舞伎や能、あるいは西欧の古典的演劇のようなものの場合は、先ほどあごうさんが言ったようにお客さんのほとんどがすでに筋を知っています。身体性を強調する前衛劇で、物語性の解体を目指すようなものだと、何も情報を与えない。場合によっては、役者にも最後はどうなるか分からない。今回の『触覚の宮殿』は、場面ごとの部分的な筋はあるのだけれど、全体の筋はありません。筋同士が緩く、部分的に重なり合っているけれど、どこに収斂していくか見えにくい。前口上も含めて決まった台詞を語ることを役割とする役者という存在を演じる役者が登場する、という複雑な構造になっているので、全体の構造が見えにくい。「前口上」らしきものを役者さんに語ってもらうのは、芝居がいつもの決まった筋によって成り立つものであることを示唆しているわけですが、同時に、本当にそうかという問いかけにもなっているわけです。

演劇と政治の関係

今回の芝居は政治的なメッセージが直接的にはあまり出てきませんが、しかし政治とまったく無関係ではありません。演劇と政治の一般的関係について考えてみましょう。最近読んでいて非常に面白いと思った本に、木庭顕★先生の『誰のために法は生まれた』（朝日出版社）があります。この本では、法と政治と演劇は不可分の関係にあると指摘されています。

前回「ネットと文明」（本書七六頁以下）で話したように、英語のアクションという言葉には「行為」や「行動」の他にも、いくつかの意味があります。木庭先生の議論に関係する二つの意味だけ挙げておきます。一つはお芝居のときのアクションです。戦闘シーンなど激しい動きを担当する俳優さんのことをアクション俳優と呼びますが、もともとアクションは芝居での所作全般を指します。「第三幕」というように、芝居の区切りを意味する「幕」も英語ではActで、ドイツ語やフランス語でも同様の言い方をします。二つ目は法廷などでの「訴訟」のこと

★ 木庭顕
一九五一年生。法学者。東京大学名誉教授。専攻はローマ法。主な著書に『政治の成立』（東京大学出版会）、『笑うケースメソッド』（勁草書房）など。

です。ハンナ・アーレントは語源であるラテン語の actio に遡って、action の本質が肉体を酷使することではなく、言論を中心にして他者の精神に働きかけ、説得することで、共通の世界を築き上げていくことにあると指摘しました。

世界史の教科書では、アテネというポリスは民主主義の発祥地とされています。では、アテネの民会はどういうところで行なわれていたのか。ディオニュソス劇場です。宗教的に熱狂するディオニュソス祭りの会場で民会が開かれるようになったのです。古代ギリシャの民会の後の遺跡をお見せします［図2］。考えてみれば、劇場と議場は似ていますよね。国会でなされていることには、演技のような側面があります。紙でのやりとりではなく、議員がその場にいて身ぶりを交えて語ることが、議会での審議では重視されますね。

木庭先生の『誰のために法は生まれた』は、二〇一九年に紀伊國屋書店の「じんぶん大賞」で一位になった本です。何が面白いのかと言うと、法の起源を説明するのに、お芝居や映画を用いているんですね。まず『近松物語★』で、その次が終戦直後の一九四八年に公開されたイタリア映画『自転車泥棒★』です。最初にこれらの作品を中学三年生と高校生に見てもらう。それだけでかなりレベルが高いのですが、次に古代ローマのプラウトゥス★という作家の『カッシーナ』と『ルデンス』、ソフォクレスの『アンティゴネー』と『フィロクテーテース』を受講者

［図2］古代ギリシャの遺跡

★『近松物語』
一九五四年に公開された溝口健二監督の代表作。

★『自転車泥棒』
一九四八年にイタリアで公開されたヴィットリオ・デ・シーカ監督の代表作。

★プラウトゥス
前二五四―前一八四。ローマの劇作家。

が読んで、法に関わる問題を提起する。むろん、日本語訳があるので、中学生でも読めないものではないと思いますが、かなりの集中力がないと、大人でも筋を追っていけずに混乱するでしょう。木庭先生の本にそれぞれのテクストの要約が出ていますが、いずれも面白そうなので、原典を読みたくなると思います。

木庭さんによると、政治や法は、権力を持った者の横暴を許さないよう、権力をいったん遮断し、議論によって紛争を解決する仕組みです。彼は「グル」という言い方をしています。麻原彰晃★のような存在のことではなく、「ぐるになる」というときの「グル」です。人間は徒党を組むもので、大きな徒党を背景にしている人は、徒党に属せない人の権利を不当に奪うことができます。

アテネの民会のような政治の場は、普段の権力関係をいったん遮断し、公正な視点から問題を審議するために存在します。政治的に議論している間だけは、グルはないものと見なされます。言わば、その場にグルの権力からフリーな空間が成立しているかのようなフィクションを議論の参加者が受け入れるわけです。ハンナ・アーレントが言っているのもそういうことです。現実の経済関係や力関係をいちど遮断し、まず言葉によって働きかけあう空間を創作する。一定の期間、その空間に集う人がフィクションを現実として受け止めるという約束事がある、という点が演劇と共通しているわけです。そうした政治のフィクションに従って、

★ 麻原彰晃
本書二三頁の脚注を参照。

現実の力関係が変化し、市民の平等と自由が保証されるようになり、全員参加の会議とは別に、細かい具体的な決定を行なうために少数のメンバーから成る評議会のようなものが作られ、それらの会での議論の方式や議員の選出方法が整えられるようになったのが、広い意味での「デモクラシー」ということのようです。

木庭さんは、「法」が、「公共空間」で演じられる「政治」という劇の中での劇中劇になっていると指摘しています。デモクラシーがいったん確立されたらそれですべて解決かというと、そうはいかない。会議を何回もやっていると、議論をリードする有力者が固定してきて、その人の背後にどういう人がいるのかも明らかになってくるため、言いたいことが言えなくなる。ではどうするかというと、この政治の空間の内部に、デモクラシーに基づくグルもが排除される虚構の空間、虚構の中の虚構の空間を作って、個人的利害に関わる、今日の民事訴訟に当たる問題を解決しようとしたわけです。そのことを象徴するかのように、『カシーナ』では劇中劇が、『ルデンス』では劇中裁判が行なわれます。前者の劇中劇では、芝居の中の現実社会で悪事を働いているのとそっくりの人が出てきて、それを劇中の観客に見せることで、どちらが正しいかを問う。それで出た結論を、劇中のリアル悪役に突き付ける。シェイクスピア★の『ヴェニスの商人』では、劇中のリアル法廷の中に架空の裁判官を登場させて裁かせます。芝居の中での裁きに

★ ウィリアム・シェイクスピア 一五六四—一六一六。イギリス・ルネサンスを代表する劇作家、詩人。代表作に『ハムレット』『マクベス』『ロミオとジュリエット』『ヴェニスの商人』『リア王』など。

は、一般的にそういう政治効果があると言えそうです。

近代ドイツの演劇を確立したレッシング★には、現実の権力の理不尽さを描いて、人々の社会に対する見方を啓蒙するものが多くあります。ただ、裁判の事実認定で再現される現実の出来事が本当に事実であったかどうか分からないように、演劇で再現されている現実も、捻じ曲げられている可能性はあります。プラトンは、芸術の模倣作用（ミメーシス）が、人々を感性的刺激で誘導し、理性の働きを鈍らせると主張していますが、演劇は、木庭先生の議論とは逆に、人々の政治センスを誤誘導するものかもしれません。

政治と演劇はそういう微妙な関係にあります。哲学はそれをちゃんと見きわめようとする営みです。英語の theory（理論）の語源になったギリシャ語の theōría は、「よく見る」という意味です。哲学とは、ポリスの演劇的な空間で行なわれている人間の営みを「よく見る」ことだった。ソクラテス、★プラトン、★アリストテレス★は、自分たちがポリスという「法」によって成り立つ空間で生きる存在であることを強く意識し、ポリスに生きることの意味について、「哲学」的な問いを発し続けました。木庭さんによると、ポリスの政治と法は、演劇と同じような虚構による問題解決という側面を持っています。ソクラテスは、エウリピデスとコラボして、アイロニカルな視線を備えた悲劇を作り出したとされます。

★ ゴットホルト・エフライム・レッシング
一七二九―一七八一。ドイツ啓蒙思想を代表する劇作家、批評家、詩人。代表作に、美術批評『ラオコオン』、戯曲『エミリア・ガロッティ』『賢者ナータン』など。

★ ソクラテス、プラトン
本書七九頁の脚注を参照。

★ アリストテレス
本書一三九頁の脚注を参照。

演劇は何らかの形で、人間が生きるポリス的空間の社会的現実の一部を一定の規則の下で再現し、お客さんの見方に影響を与えるわけですから、広い意味で、木庭さんが古代の演劇について想定しているような意味で「政治」性を帯びています。こうした意味での芝居における政治性と、それがお客さんの生きている空間に対して与える影響について、あごうさんはどう考えていますか。

制度と身体性

あごう 今回は、音楽的な要素を付加してできた作品をもう一度作り直す作業をしています。この作り直す作業の構造自体に、どうしても一つのあるべきコードが存在して、その構造をどういうふうに作っていくのかが重要になるわけです。それが空間をはじめすべてのものの基礎になります。そうするとそれは、法律や政治の言葉では制度作りになるわけですよ。その芝居におけるルールみたいなものも、当然発生してくる。法律のようにパワーを持って、俳優なり空間なりを規制する力が生まれますし、私たちはそういう力を満たすための作業をしています。そう考えると、その構造的な力みたいなものも、儀礼的なものの何かにつながっていく部分はあるわけです。ただ、その演劇を作っていくための行動に、法律上の制度性のようなものも重なってくるのかなあと思います。

法が言語に立脚して規制していくパワーだと考えると、演劇ではそれは台本なのかもしれません。さらにもう一つ、私たちは身体を持っています。演劇は言葉と身体を使うメディアなんですね。柔軟な予測としての身体があって、言語や制度の支配下に置かれる部分もあるわけですが、そこから逸脱して、あるいは場合によっては抑制を受けることによって、新たに力を得ることもあります。立ち上がってくる何かがある。その力みたいなものは、人を動かしていく力や感覚に訴えていく原動力になっていくし、その力みたいなものをどういうふうに立ち上げていくことができるのかな、とは考えます。

音楽でも形式が非常に強いものがありますね。オーケストラを想像していただいたら分かりやすいのですが、指揮者がいて、コンサートマスターがいて、第一ヴァイオリン、第二ヴァイオリン、ヴィオラ……といろいろとあり、すべての時間を規定する楽譜がある。その中でハーモニーや、場合によっては不協和音を紡ぎ出す装置、制度みたいなものがある。その楽譜が持っているコード的なものも、今回の主題では、俳優の存在というか在り方、身体の在り方、活動の仕方と重なります。楽器も、楽器としてはもちろん身体としても捉えられる。なるべく同じ程度のメディアとして捉えて音などを生み出していこうと考えていたりします。

仲正　私たちは常に自らの身体をコード化している、つまり、ある一定の文法に従って解釈しているわけで、そこにポリス的空間と結び付いた政治性が働いている。具体的に言うと、裸で外を歩かない、性的部位は親密な関係の人にしか見せない、他人と一定の距離を取ったり挨拶したりする、相手に不快感を与えない程度に声のヴォリュームや高低を調整する……といったことをかなり無自覚的にやっていて、微妙なところは、法によって白黒つける。演劇は、特に『触覚の宮殿』のような身体性を前面に出す劇は、それとは別のコード、ちょっとずれたコードで役者の身体を意味付けする試みだと言えるでしょう。

あごうさんがさきほど話題にしたのは、人を動かすという意味での政治性、権力ですね。舞台の上に誰かが立っているだけで、それを見ている人に何らかの力が働きます。「注目せざるを得ない状況」が生じますよね。たとえば手を叩くだけで、何か意味があるように思ってしまいます。ふだん道を歩いているときにいきなり手を叩く人を見ても、そんなに影響受けないでしょう。ちょっと変な人がいると思って見るかもしれませんが、もともとその人との関係性がなければ影響を受けることはないはずです。演劇は、手を叩くことによって、ここに意味があるように見せます。「この人の身体の中で何か起こってるんじゃないか」と見てしまうわけです。こうした劇場の体験は、自分たちが制度や人間の仕草に意味を持たせているのだ、ということを反省的に考えさせる契機になります。

広々とした場所でやると、そんなに影響力がないかもしれません。ある程度は閉鎖された空間でパン！　とやると、近くであれば結構振動しますよね。人間は、音で直接感じている部分以外に、振動も感じています。今回の芝居は『触覚の宮殿』というタイトルが付いていますが、ベンヤミンは、人間は目と耳だけではなく、広い意味での「触覚」を動員して芸術を知覚していることを指摘しています。建物の中にいると、風の圧力を受けるし、歩いていると床を感じる。劇場とか美術館にいると、自分の周りのお客さんの動きの影響を受ける。それで自分の身体が共鳴して動くと、その動きを感じる。演劇空間は、日常から逸脱した「触覚」を作り出します。ワーグナー★がバイロイトに作った劇場は、そこで演じられる楽劇だけではなく劇場の構造自体が神話的なものを感じさせるようにできています。ベンヤミンは、映画館が人為的な装置で、触覚的な攪乱を作り出すことを示唆しています。これは小劇場に特権的なことですが、劇場が小さいと、舞台とお客さん、お客さん同士の距離が近いので、振動が直接的に伝わってくる。今回は小劇場をそもそも想定していないで芝居を作っているのですが、小劇場でやることによる効果に関して、あごうさんはどのように考えておられますか。

★　ヴィルヘルム・リヒャルト・ワーグナー
一八一三—八三。一九世紀ドイツを代表する作曲家、思想家。オペラ・楽劇に『ローエングリン』『ニーベルングの指輪』など。自身が設計したバイロイト祝祭劇場は一八七六年に完成。

あごう 私は小型の劇場でやることが多くて、ほとんどが好きな空間なのですが、たいてい場内には本当に何もありません。今回の黒い箱型の劇場にも、実はいろいろな構造があって、柱があったり、梁があったり、排気口があったりしますが、私の好みで言うと、なるべく何もないスコーンとした空間であることがとても大事です。色は黒。白ではなく黒。ブラックボックスとしての劇場の思想そのものを、「本当に何もないところから始めることだ」と私が理解しているからです。何もない闇から何を立ち上げていくのかを考えています。闇はある種の広さを作ることができるので、場合によっては大劇場よりも大きく見せることができる。劇場とはそういうマジカルな空間であるということです。マジカルというと怪しげですが、そこに強い魅力を私自身は感じています。その空間そのものが持つ魅力みたいなのをお客さんとシェアしたいという単純な欲求があるんですね。

近代演劇の特徴

仲正 『触覚の宮殿』のテーマの一つに、「王の身体」があります。シェイクスピアを例に考えると分かりやすいですが、観客には一般庶民が多かったはずなのに、実際に作品に出てくる人物は王侯貴族ですよね。シェイクスピアには、実際の王朝を素材にした「王朝物」と呼ばれている作品があります。一番有名なのが、私たちが身体劇に仕立て直した『リチャード三世』ですが、『ジョン王』『リチャード二世』『ヘンリー四世』『ヘンリー五世』『ヘンリー六世』と、歴代の英国の王朝を描いた作品があります。『ハムレット』『シーザーとクレオパトラ』なども王侯が主要な登場人物ですし、『ロミオとジュリエット』や『オセロ』は貴族の世界を背景にしており、『マクベス』は王になろうとした貴族の物語ですね。

近代に入ると、だんだんと市民が主人公になる芝居が出てきます。シェイクスピアはおおよそ一六世紀から一七世紀にかけての人ですが、一七世紀にフランスで古典的な悲劇や喜劇が確立します。ラシーヌ★の名作はほとんどがギリシャやローマの神話や伝説を主題にしたものですが、モリエール★の喜劇では、ブルジョワが主人公です。一八世紀はドイツ演劇が圧倒的に優位になる時代ですが、その時代になると、レッシングやシラー★、初期のゲーテ★のように、市民が権力に反抗するようなテーマの作品が多くなるわけですね。

戯曲ではなくて小説ですが、ゲーテの有名な『ヴィルヘルム・マイスターの修業時代』『遍歴時代』の主人公ヴィルヘルム・マイスターは役者です。商人の息子に生まれ、家業を継ぐよう教育されていた彼は、幼い頃から演劇に憧れ、旅の

★ ジャン・バティスト・ラシーヌ
一六三九—九九。フランス古典主義を代表する悲劇作家。代表作に『アンドロマック』『フェードル』など。

★ モリエール
一六二二—七三。フランスの喜劇作家。コルネイユ、ラシーヌとともに古典主義三大作家の一人。代表作に『タルチュフ』『人間ぎらい』など。

★ ヨーハン・クリストフ・フリードリヒ・フォン・シラー
一七五九—一八〇五。ドイツの劇作家、歴史学者、思想家。ゲーテと並ぶドイツ古典主義を代表する文豪。代表作に戯曲『群盗』『ヴィルムヘルム・テル』、論考「素朴文学と情感文学」など。

一座の女優と恋仲になったことがきっかけで一座に加わります。役者としての修業が、同時に人生において人格形成（Bildung）する修業にもなっているわけです。ゲーテの最も有名な戯曲は『ファウスト』ですよね。この作品の隠れたテーマは、「貨幣」の浸透による急激な社会の変化で、メフィストフェレスは貨幣の象徴だと考えられます。貨幣によって人と人が結び付けられる社会は、ブルジョワ（市民）が主役になる「市民社会」です。近代の演劇――というより文学は、市民の現実の生活を描くのが基本です。ニーチェは批判しましたが、近代の演劇は、市民の目線で現実を構成することを目指してきたと言えます。

少し脱線しますが、ゲーテとの関連で、お話ししておきたいことがあります。いま、あごうさんと次回作として検討しているのが、ゲーテより一世代後のドイツの作家、クライスト★の『ペンテジレーア』です。古代ギリシャのアマゾンの女王が、ギリシャ軍の勇士アキレスに恋をするが、アマゾン族の掟で、闘いに勝って獲物にした男としか結ばれることはできない。しかし、ペンテジレーアはアキレスとの一騎打ちに負けてしまう。脳震盪を起こして倒れている彼女を前に、側近の女たちは、誇り高い女王はこの屈辱に耐えられずに死ぬかもしれないので、あなたの方が負けたことにしてほしい、とアキレスに頼みます。その辻褄合わせが徐々に破綻していき、女王は狂気に陥っていきます。そして彼女はアキレ

★ヨハン・ヴォルフガング・フォン・ゲーテ
一七四九―一八三二。ドイツを代表する詩人、劇作家、自然科学者、政治家。代表作に詩劇『ファウスト』、論考『色彩論』、自伝『詩と真実』など。

★ハインリヒ・フォン・クライスト
一七七七―一八一一。ドイツを代表する小説家、劇作家。代表作に小説『チリの地震』『O公爵夫人』、戯曲『こわれがめ』『ペンテジレーア』など。

スを愛するがあまり、彼の心臓に齧り付いてしまう。これは普通に考えると単なる比喩ですが、ペンテジレーアが、最後は本当にアキレスの心臓に齧り付いて殺してしまうのです。ペンテジレーアはアキレスを弓で狙いますが、これは同時にキューピッドの弓であるように見えます。ペンテジレーアの行為は、愛と戦いを同時に含意していて、どっちがどっちのメタファーか分からないくらい混り合っているように見える要素が多い。これは、原初的感情においては、愛と戦いが未分化であることを含意しているように見えます。愛は文字通り、狩りなのかもしれません。互いの血を流さずにはすまない、野蛮な狩りです。ゲーテはこれを劇場で演じると大変なことになると考え、この戯曲がヴァイマルの劇場で演じられるのを拒否しました。ドイツ文学では非常に有名な逸話です。

これはギリシャやローマに都市国家ができる以前、神話的な背景の中で神々や王、英雄が活躍する時代を想定した作品です。クライストは、形成されつつあった市民社会的秩序に反抗するために、封建時代よりもはるかに遡った、原初的な王権の時代を想像したのではないかと思います。近代において、以前、われわれが手掛けた『リチャード三世』や『触覚の宮殿』も、ある意味では「王権」や「王」に関わる芝居です。この二つの作品に取り組むにあたって、あごうさんは、「王」としての「天皇」の身体のことをテーマにしたいと常々言っていました。一つは、臨終の床にあった昭和天皇の身体、もう一つは退位する前後の上皇の身体です。ネタバレになるので詳しくは言いませんが、昭和から平成への移行期と、平成から令和への移行期は、あごうさんの人生の重要な転機になっていて、当時報道を通じて伝えられる二人の天皇の身体のイメージが、あごうさんの記憶に強く残っているようです――私は正直言って、天皇家にそんなに関心ないのですが。

王の身体表象

仲正　この「王」の「身体」に関して、一枚の絵を見てください［図3］。これはホッブズ★『リヴァイアサン』に収録された有名な口絵で、拡大してみるとリヴァイアサンの王様の身体に鱗みたいなものが描かれているのが分かります。この鱗みたいなものは、人間の前半身のような形をしています。人々の体から国家という大きな体が形成されており、権威の象徴である錫杖《しゃくじょう》と力の象徴である剣を持っている王が、国家を代表する「人格」として表象されている

［図3］ホッブズ『リヴァイアサン』より

★8　トマス・ホッブズ　一五八八―一六七九。イングランドの政治哲学者。主著『リヴァイアサン』では社会契約説を用いて新しい国家秩序の確立を提起した。

わけです。

カントロヴィッチ★という歴史家が『王の二つの身体』という有名な本で、王は自然的な身体と政治的身体、要するに国家を象徴する身体を持っていることを指摘します。前者は普通の人間の身体のように傷つきますが、後者は不可侵です。戴冠した王が触れることによって病が癒える、という話もこのことと関係しています。今村真介★さんという人の『王権の修辞学』（講談社選書メチエ）という本で、フランス限定ですが、王の身体がどういう象徴的な意味を持っていて、どういう儀礼的な役割を果たしているか、分かりやすく解説されています。

『リチャード三世』における王の身体も、本来、聖なる身体のはずです。シェイクスピアの王朝物の他の主人公たちは弱いところや愚かなところがありますが、最後はちゃんと王と王らしいところを見せます。しかし、リチャード三世だけが、全面的に汚れた王として表象されています。リチャード三世すなわちグロスター公は、足に障害を負っていて、容貌が醜い。それをコンプレックスにしているのですが、そのルサンチマンを精神的エネルギーに変換しているように見えます。いろいろと汚い、残虐な手を使って王位を獲得し、将来の脅威になりそうな相手を排除し続ける。基本的に誰も信用しないし、できない。リチャード三世の身体は、そうした負の要素をため込んでいる。私たちはそう考えました。

★ エルンスト・カントロヴィッチ
一八九五―一九六三。ドイツに生まれ、アメリカに亡命した歴史学者。主な著書に『王の二つの身体』など。

★ 今村真介
一九七一年生まれ。専攻は社会思想史。主な著書に『王権の修辞学』（講談社選書メチエ）、訳書にコジェーヴ『無神論』（法政大学出版局）など。

われわれがリチャード三世を身体劇にする際、最後のシーンを強調しました。リチャード三世は、エリザベス女王の祖父にあたるリッチモンド伯に敗れて戦死しますが、それによって薔薇戦争が終わって、イングランドが統一される。私たちは彼の身体が、彼が殺した者たちの亡霊に取り憑かれてだんだん重くなっていく過程が表現できるよう工夫しました。国家の罪を一身に集めた彼の死によって浄化されるイメージです。ある意味で「犠牲の山羊」です。イエスの十字架のネガティヴヴァージョンみたいな感じになっています。

もともとはあごうさんが、王の身体をテーマにする『リチャード三世』をやりたいと言って、その制作以降に出てきた、王の身体をめぐるさまざまのイメージが集約される形で今回の『触覚の宮殿』に発展したわけですが、あごうさんは「王様の身体」について、どう考えていますか。王様の身体に関心を持ったのは、どうしてでしょう?

あごう　これには個人的な体験があります。私の人生のいろいろな体験になりますが、日本における「王」の存在は非常に気になっています。その理由の一つは、今回の新しい劇場「THEATRE E9 KYOTO」に関係しています。ここは京都駅の東南エリア、鴨川沿いにある倉庫をハチセさんという会社から賃貸して、私たちがリノベーションして劇場にしました。この東九条という地域は崇仁地区と呼ばれ、在日外国人が多く、かつては水平社の運動★が発祥したような被差別部落がありました。非常に長い歴史と深いコンテクストがあります。これは現在進行形の課題でもあるのです。そういう地域で、私たちはそこに暮らす人たちとリアルにコミュニケーションをとりながら、ときには本当に政治的なこともセッションしながら、なんとかこの「黒の劇場」が市民に開かれた場としての劇場であるように努力を重ねています。そういう現在進行形の私の状況などがおそらく強く働いて、この数年、「王」のような存在に関心を抱き続けてきました。

しかしこれは社会的現実的な私の関心であって、それを演劇として表現するときにどういう描けるのか、ということです。そして俳優はどう存在してどう活動していくのか。こうした根本的な課題に取り組むための課題として、『リチャード三世』を上演しました。このリヴァイアサンの絵は、今初めて見て「えーっ」と思いましたが（笑）、実際に『リチャード三世』を演じるときには、王の身体も大きな鏡、民衆の鏡だとそのまま素直に考えて、「鏡のように演技をしてもらおう」と思ったんですね。とはいえ、具体的にど指導したのかですが……仲正さん、ちょっと立ってやってみますか。

〔二人が実演する〕

★　水平社
一九二二年三月、被差別部落の地位向上と人間の尊厳の確立を目的として結成された。三月三日に創立大会が京都市岡崎公会堂で開催されている。

——と、鏡でトレースしています。こうやってトレースを繰り返していくと、体の方向が自然といびつになっていきます。そしてお客さんを新たに市民、国民と見立てたうえで、「おお、畏れ多くも……」という台詞を口にしながら、それに反応するお客さんの身体が発しているある種の空気みたいなものもトレースしながら、リチャード三世の身体というものを描いていくのですが、それがもう最後はギシギシに緊張の塊なのですね。誰も彼も、本当にブドウのようにギチギチになっていくわけですが、リチャード三世という人物をそういう身体性で描いて、リッチモンドの方はもうストーンと（笑）、みなさんが「美しい」と思う真っ直ぐな身体なるものでトレースすることで、王の身体というものを描く。そういう取り組みですね。

仲正　『触覚の宮殿』の中に、昭和天皇★が亡くなるときのエピソードがあります。病床に関する当時の報道を若干アレンジしたものです。昭和天皇の身体についてアナウンサーが淡々と伝えている。昭和天皇の身体に多くの人の関心が集まりました。日本という国家が犯してきた罪、溜まった垢みたいなのが天皇の死と共に浄化されていくような感覚があった。本当にそうだったか分かりませんが、私たちはそういうイメージを盛り込みました。

★　昭和天皇裕仁
一九〇一—八九。一九二六年以後の在位中に日中戦争と太平洋戦争を開始し、戦後は「日本国の象徴」となる。八八年の重体報道以後、日本各地で過剰な「自粛」が拡大した。

今回の明仁天皇★の退位の際は、それとは異なった形で天皇の身体がクローズアップされました。上皇はかなり猫背ですよね。いつからあんな感じだったか、私もあまり記憶が定かでないですが、退位する直前にはかなり猫背で、いかにも大変そうな感じが出ていた。マスコミ、テレビでの天皇の捉え方も変わってきて、天皇の弱々しいところ、歩幅が小さくなって、弱々しく歩いているところをはっきり見せるようなったように思えます。天皇自身も自分の体が弱っていることを率直に語るようになった。どこか日本社会に溜まっている歪みのようなものが、天皇の身体に集中しているような幻想が生じているような気がしました。

演劇、特に主人公が運命を背負って没落する悲劇には、社会の汚れを祓うような面があるのではないか。現代社会では、人間の身体性が非常に希薄になっています。スポーツ選手とか警官など特殊な人以外は、自分の身体を儀礼的にコントロールすることはないし、そのための技法を持っていません。人間の身体には性欲や暴力衝動など、いろんな社会的に許容されない欲望が生じてきて、それを何らかの形で処理しているはずですが、そういうものについては、プライベートな問題だということで互いに無関心を装う。病や怪我による身体的な苦痛も、なるべく他者の目に触れないように配慮する。人間は、さまざまな刺激を受ける、傷みやすい身体を持って受苦しながら生きざるを得ない存在であることに言及す

★ 明仁前天皇
一九三三年生。一九八九年に即位、元号は「平成」。二〇一九年、高齢を理由に生前退位し、現在は上皇。

るのは何となくタブーになっている。身体的な差異に言及するなどもってのほか。普通の人は、無色透明な身体しか持っていないかのようにふるまおうとする。そういう現代社会で、日本社会の負の要素をしょい込まされて、老いた体を駆使している天皇の身体に、人々の関心が集まる。天皇の苦しみが、アリストテレスのいう「カタルシス」をもたらすのかもしれません。演劇は、その社会における罪の浄化の儀礼を代行しているところがあり、見ている人にとってカタルシス効果が生じるのかもしれません。あごうさん、最後に何か。

あごう 最後に私から一つだけ付け加えるとしたら、新しい劇場についてです。四年ぐらいの準備を重ねて今回オープンしますが、なぜこの劇場を作ることになったのか。これは、いわゆる小劇場と呼ばれる劇場が、京都では二〇一五年から二〇一七年にかけて、五つ同時に連鎖的になくなったからです。その主たる原因は、建物のオーナーの高齢化か建物そのものの老朽化で、あえていえば構造的な転換点を迎えたということですね。法律上の小劇場だと、ロームシアターという公共ホールに大中小のホールがあり、その小ホールしか残っていません。文化伝統都市を掲げる京都で、小劇場が一館しかないわけです。

劇場ではなく、小劇場的なスペースは、たとえばこの連続講座の会場である石引パブリックのようなスペースを含めて、あるにはあるのですが、それだけでは困るので、自分たちで作ることにしました。いろいろな地域の方や市民のみなさん、行政機関の方々、あるいは経済界の人たちとやりとりしながら、劇場が完成したわけです。

さきほどから言及されているヴァルター・ベンヤミンのテキストにもある「演劇を考えるための連作」として芝居を作りながら、関心がどんどん演劇や演劇の歴史に向かっていった感じがしますが、もっとリアルな「そこに住んでいる人たち」に向かって、私たちがどういうふうに作品を作れるのか、ということが問われるようになりました。リアリティのあり方というか、リアリティの階層がもう一つ増えたということです。

私も四〇歳になって、いろいろと社会勉強をしてきました。数年前と今では、大きく変わっている部分もあると思います。そういう意味で今回の作品は、この地域で行なう最初の演劇作品だということが、私にとって非常に大きな緊張となっています。また、今日は金沢のみなさんの前でお話しさせていただく初めての機会でした。みなさんと私の作品がどう出会うのか、緊張を持って楽しみにしているところです。

会場から

――音楽が対話に変わっていったとおっしゃっていましたが、なぜ対話に近づいていったのか。理由があるのでしょうか。

仲正　ディオニュソス的な意味での音楽は、本来原初的な衝動を発散させるもので、秩序だったメロディーを奏でて、心を安らかにするものではなかったわけです。人間が持っているかなり野蛮な衝動を発散させる効果を持っていたわけです。その意味で、儀礼というか、祭礼的な性格を持ってました。溜まったエネルギーを発散して、社会の秩序を保つ働きです。

ニーチェによると、理性によって制御された市民的日常を送るうちに、野蛮な衝動が次第に弱まってきて、生贄を捧げることで、みんなが恍惚となって歌い、踊る祭礼のようなものによって、一挙に解消する必要も少なくなってきた。むしろ、理性的な思考によって、人々にあるべき生き方を示して、非社会的な衝動を正しい方向に導くことが演劇にも求められるようになった。

ニーチェはそれを人間の家畜化として嘆くと同時に、人間が身体をもって存在している限り、ディオニュソス的なものの完全な抑圧は不可能と見ています。人間はかならず野蛮性を持っていて、それが意識の奥深くに潜行して大人しくしていたとしても、いつどこかで暴発するか分からない。劇場は、アポロン的な秩序の原理に従って構成されているように見えるけど、いつの日にかディオニュソス的な恍惚が回帰し、野蛮な衝動をちょっとずつ、だましだまし制御するのではなく、全面解放する、音楽的芸術が再生するかもしれない――ニーチェはそう予言しています。

――コロスについて、現代から見ると、役者同士の対話が主で、コロスがおまけに見えるけれども、実は逆であるという話がありました。コロスは、ギリシャの古典悲劇以降どういった形に変わっていったのでしょうか。現代から見てコロスに注目すると見えてくるものはあるのでしょうか。

仲正　コロスの役割が縮小するのは、音楽によって原初的な衝動を発散させるという祭礼的な役割が演劇に求められなくなったからです。そうなると、コロスの合唱も従来の意味を失う。そこで、役者同士のロゴスによる対話、理性的に事態を把握する会話に絡んでくるしかないわけです。そうすると、集団として舞台に存在し、個としての個性を持たないコロスにふさわしい役割は何かと言うと、そのポリスに暮らす「民の声」ということになるでしょう。ポリスの普通の市民たちの眼で、そこで起こっている事態を見つめてコメントする役割、まっしぐらに没落に向かって行く主人公を諭す役割です。酒神を讃えて狂乱を扇動する役割からの大転換ですね。

むろん、そういう共同体的な感覚が衰退して、市民の良識が実体をなくすと、コロスも出番がなくなります。一九世紀になって、シラーが『メッシナの花嫁』という作品でコロスを採用させました。その序文として書いた「悲劇におけるコロスの使用について」という短い論文で、世俗化して神話的想像力の働きにくくなった現代において、聴衆が芸術的に理想化された空間にいると想像できるよう、誘導する役割をコロスが担う、としています。ただ、近代だと実際に使用されている例は少なくて、オペラ、ミュージカル、ワーグナーの楽劇など、音楽がメインの劇の合唱団が、古代の悲劇のコロスのような役割を果たすことがある以外、あまり普通ではないようです。現代では、「共同体」を代表して語る存在が考えにくくなっているせいかもしれません。

あごう　私の小さな作品の例で恐縮ですが、「誰も出ないお芝居」は本当に誰も出ない空間を見てるいだけのパターンと、来ている観客が舞台あるいは舞台的な空間に群衆として存在するという二つのパターンがあります。このお客さんが群衆のように存在しているパターンではコロスが市民なので、それが群像みたいなものの言い換えであれば、私の作品の中では市民と共同体は接近的であったと思います。

さきほど言い忘れましたが、俳優をなくして演劇を成立させる場合の劇空間の最も重要な存在は、やはり「観客」です。私論としては、演劇で最も重要な存在は俳優ではなく、お客さんです。お客さんを省いて演劇は成立しません。

仲正　手法として、観客を舞台に上げるのではなく、いつの間にか舞台にいるという手があります。さきほども話に出た『パサージュ』のⅡとⅢや『バベルの塔Ⅰ』ではそれをやりました。ニーチェがエウリピデスを批判したのは、市民の代表者っぽい人物を、役者として舞台に上げた点です。それだと市民性をそのまま舞台に持ち込むことになってしまいます。だから、あごうさんのこれらの作品では、逆に本当に普通のお客さんの身体的リアクションを利用させてもらいました。先導役に連れてこられ、いきなり舞台っぽいところに、他のほとんど面識のない人たちと一緒に上げられて、リアクションを求められるわけです。「お客さん」という本当に偶然からできた集合体なので、コロスとしてまとまることもないし、一人一人も市民的な良識で語る準備もない。脊髄反射的なリアクションをするしかない。

話が少しずれますが、あごうさんが群衆の話をしてくれたので、思い出したことがあります。普通の演劇の舞台だと、文字通り、群衆と言えるくらいの大人数を集めて、舞台に上げることはできない。さきほどのあごうさんの劇では、二十数名だったのですが、もっと大きなシアターでやろうとしても、そんなに多くの人を、いきなり舞台に上げるのは無理でしょう。実際の市街地を舞台に見立てて何か演劇的なことをやるか、映画でないと、さまざまな欲望の連鎖に従って暴走する、群衆らしい群衆を表象することはできません。

ヴァイマル時代のドイツのフリッツ・ラング★監督の『メトロポリス』という作品では、資本家に怒って反乱を起こした群衆が、革命を煽るジャンヌ・ダルク★っぽく見える少女に似せたアンドロイドに誘導されて、走り出します。こういうシーンだと、リアルな群衆に近い動きを再現できます。この連続講義で前に話

★ フリッツ・ラング
一八七〇—一九七六。オーストリア出身のドイツ表現主義を代表する映画監督。代表作に『ドクトル・マブゼ』『メトロポリス』『M』など。

★ ジャンヌ・ダルク
一四一二—一四三一。フランスの軍人。百年戦争末期にイングランド軍と戦った。フランスの国民的ヒロインとして数々のフィクションに描かれている。

題にしましたが、ナチス時代に、レニ・リーフェンシュタール★という役者出身の有名な映画監督がいました。この人の作品で、ナチスのニュルンベルク党大会を撮った『意志の勝利』と、ベルリン・オリンピックの記録『オリンピア』が有名です。これらが映画の手法として画期的だったのは、リアルな「群衆」を撮ったことです。では、群衆を撮ることの何が面白いのか。熱狂し、同じタイミングで拍手したり、歓声をあげる群衆の姿をクロースアップにしたり、広角にして映像化することによって、その空間自体が、一つの大きな身体を持つ、「人民」あるいは「民族」によって占められているかのような印象を与える――ドイツ語では「人民」も「民族」もVolkという言葉で表現されます。狭い映画館でそれを見せられることで、観客は自分もその一部になっているような、あるいは一部になりたい、という気持ちになる。

これは、群衆が「民族」化するように誘導したかなり作為的な試みですが、演技などまったく意識していない、町を歩いているだけの素の群衆をそのまま舞台に上げることができれば、現代的な意味でのコロスと言えるかもしれません。コロスには、原初のコロスやナチスの映画のように、熱狂して理性を麻痺させる側面と、ニーチェが理解するエウリピデスの悲劇のコロスのように、反省的な思考を働かせる側面とがあると思います。現代の本当の群衆をコロス化したとき、ど

★ レニ・リーフェンシュタール
本書八三頁の脚注を参照。左はリーフェンシュタールと映画『オリンピア』（一九三六年）より。

のようなことが起るのか。具体的にどうやったらいいのか分かりませんが、想像すると楽しいですね。

――舞台、観客、演劇を作る人という話になりましたが、観客一人ひとりは個人ですよね。観客という言い方と、観客の中の一人ひとりの身体の中で起きていることは、みんな違うはずです。今日のお話を伺って、大きな括りは割と理解できましたが、舞台空間、演劇空間の中での、提供する側と観客のさらに向こう側、「個」ということに関してお話を伺いたいです。

仲正　普通の演劇は、お客さんに「個」になってもらうと困るのです。さきほど最初に「儀礼」について話しましたが、儀礼化していかないと演劇という芝居は成立しないのです。たとえば歌舞伎のときに、「成田屋〜」と声を出す人は決まっていますよね。決まっていないと、伝統的な儀礼としては成立しない。国や作品の種類によってバリエーションがあると思いますが、お客さんの反応もある程度はパターン化していないと、芝居として成立しにくいところがあります。

あごうさんのミニ劇場での観客動員型の芝居は、それを取っ払って、なるべく個としてリアクションしてもらうことで、そこに何が起こるか見る、という性格のものでした。この会場くらいの狭い空間でも、もしみんなが立ち上がって動き始めたら、相互にいろんなリアクションが起こるでしょう。お互いの身体に対して感じる圧がかなりあり、どう距離を取るべきか戸惑うでしょう。

さきほどあごうさんが「トレース」という言葉を使いましたが、『リチャード三世』ではお客さんのうち、特定の誰かにピンポイントで注目し、お客さんの仕草や姿勢を演技に取り込むということをやりました。それにお客さんが気付いてくれて、反作用が生じなかったらあまり意味がない。大劇場で座席の形が決まっていると、お客さんの姿があまり差異化しないと思います。背もたれが付いていて、個人を区切る椅子がないような狭い小劇場で、周囲をかなり暗くしていることが前提ですね。お客さんの視線を照明でコントロールできる環境が必要です。どこを向いてもいいのであれば、効果は薄れます。道にいきなり幕を張って、「はいここで芝居ですよ」と呼びかけるのも、それはそれで面白いかもしれませんが、それだとバラバラすぎて、演劇という感じはしないのではないかと思います。やはり一定の空間秩序を作って、お客さんの行動を制約したうえで、身体の動きに一定の自由度があるような状態を残しておいて、お客さん相互、あるいは舞台とのやりとりでリアクションの連鎖を作り出す。あごうさんの芝居には、最初から意図していないのに、そういう作りになっているものがいくつかあります。

あごう まず大前提として、お客さんのことはよく分からないということです(笑)。そもそも分からない。「パサージュ」のシリーズでは、お客さんと関わりながら、いくつか誘導する強度みたいなもので分けて作品を作りました。「次はここです、次はここへ来てください」と非常に分かりやすい空間を作ったのが一つ。もう一つは、基本的には劇場の中という以外には示唆せずに、インスタレーション的な映像パネルや音声の仕掛けをいくつかちりばめて作りました。舞台の場合、一応は全体を見渡すことになりますが、全体が見えないようにレイアウトすると、一回の演目の中ではすべての情報が体験できない。これはわざと体験できないようにレイアウトしました。どこを見てくださいという具体的な指示は特にありません。その場合は、お客さんはより映像の見たいところを見ていただくことになります。

たとえばさきほどの二つの公演を例にとると、「ここですよ、ここですよ」と強いサインを出したときの方が、その回その回のお客さんの空気が変わりました。その場におられるお客さんが持っている特性みたいなものが立ち上がりやすい感じがします。簡単にいうと、こちらは同じことをやっていても、ある回は喜劇的になったり、ある回は悲劇的になったりするんですね。規制が強い方が、いわゆる「演劇の一回性」のようなものが露骨に立ち上がる感じはしました。規制がゆるやかな場合は、観客は自分が安心できる場所を探している感じがします。

規制がゆるいということは、制度が薄いということです。これはちょっと危険ですよね。制度に守られていない分、不安を感じます。よく言えば「自由ですよ、自由律ですよ、みなさまの個性を尊重してご覧ください」ですが、悪く言えば放ったらかしなので、不安のようなものが立ち上がってきます。東京、大阪、京都では規制のゆるいステージを何回かやりましたが、その全ステージで同じ現象が起こりました。その芝居の一番最後の最後には、電話の音が鳴って、誰かにとっていただくことになるのですが、その電話が鳴った瞬間だけは、全員が電話の方をご覧になるわけです。

あと、『リチャード三世』の場合、お客さんの身体を少しトレースしましたが、「心の声」はやはり捉え難いです。特に演技をしながらお客さんの心の声を捉えるのは、もう不可能に近いですね。しかし、身体的な反応はあまり虚飾がありません。身体的な何らかの反応を捉えることに関しては、繋がれたり繋がれなかったりすることが、もう少しはっきりしそうです。

『Pure Nation』という作品では、俳優同士の身体の特性を説明し、その身体のねじれみたいなものをシェアすることもしました。そのときも「こういうふうに骨が曲がっているから右方向に転げやすいんだな」云々という体験をします。そうやって、互いの身体を模して歩いてみると物理的に理解や把握ができるのですね。それは身体的に理解するということです。もう一つには、ある種の歪みがあったとして、それを真似しようとしてもそんなふうに自分の身体を歪ませることができない場合がある。このとき、自分にはまったくできないことも、同時にクリアになります。そう考えると、コミュニケーションの原型のようなことは、身体を通じて割と分かりやすく立ち上がってきます。分かり合えるところと分かり合えないところが、私たちの中につねにあるものなんですね。

第7講

哲学と芸術

神話からディズニー、アイドルまで

2019年7月27日

前回の演劇のときにもお話ししましたが、芸術の起源は宗教的儀礼だと考えられます。宗教儀礼を実行する人も、呪具も、人間の五感で知覚可能な物体ですが、そこに感性的な把握を超えた神聖な性質が少なくとも儀礼が行なわれている間は備わると想定されています。その場に居合わせた人たちは、通常の物理的現象を超えた何かが起こっていると感じたことでしょう。そうでないと、共同体に属する人に一体感を感じさせる役割を果たせないでしょう。

時とともに人々の宗教的意識は薄れていき、儀式は形骸化していきますが、その一方で、非日常的なもの、日常的な感覚をかき乱すものを求める欲求はなかなかなくなりません。というより、儀礼自体の影響が弱まるほど、そういう欲求はかえって強くなると考えられます。「聖なるもの」を非日常、不可知のものへの欲求と結び付けて考えるバタイユ★などの議論に即して考えると、そういうこと

★ ジョルジュ・バタイユ　一八九七―一九六二。フランスの思想家、作家。主な著作に『マダム・エドワルダ』『呪われた部分』『エロスの涙』など。パリの国立図書館の勤務しており、第二次世界大戦勃発後、終戦までベンヤミンの原稿を秘匿していた。

になるでしょう。そこで、神に対する信仰とは直接結びついていないけど、感性的に知覚可能なものを超える何か――ヴァルター・ベンヤミン★の用語だと「アウラ」――を秘めているように見える「芸術」が登場したわけです。

ベンヤミンによると、芸術作品の価値は、聖なるものとして崇められる「礼拝価値」から、人目につくところに展示され、知覚を刺激する「展示価値」へと変容します。「礼拝価値」はそこにあることを匂わせるだけで、実物を見せない方が聖なる雰囲気がでますが、「展示価値」ははっきり見せて、その見ている者の感性を刺激しないと意味がありません。ベンヤミンは芸術作品において、宗教儀礼から継承している「礼拝価値」が減少し、「展示価値」の割合が高まるのに伴って、人々は、呪術的なもののアウラに迷わされることなく、自分の感性的な知覚能力を自由に駆使できるようになることを示唆しています。

教会の中に据え付けられている絵画や彫刻は、中間的な性格を示しています。ベンヤミンは、同じ教会内の彫刻でも、教会の奥の院に設置され、帳《とばり》に包まれている聖母像よりは、持ち運び可能な胸像の方が展示価値の割合が高いとしています。持ち運び可能であれば、いろんな角度から見ることができます。絵画では、壁に描かれるフレスコ画やモザイク画と、取り外し可能な、フランス語で「板」を意味する「タブロー」では、後者の方がずっと展示価値が高い。教会の壁や床

★ ヴァルター・ベンヤミン 本書八二頁の脚注を参照。

のレリーフやフレスコ画やモザイク画は、取り外しできません。ステンドグラスもそうですね。こうした作品は、教会という聖なる空間にあってこそ意味があるのですが、取り外し可能な様式や素材の作品は、教会の外で展示できますし、作者も当然、教会以外の場所、宗教的な畏敬の念とは関係なしに人々に見られるところに展示される可能性を念頭において創作するでしょう。

前回、駆け足で説明した「複製技術時代の芸術作品」という論文の主題について補足的に説明しておきます。教会と関係ない場所で展示されるといっても、芸術作品は、芸術家という特殊な才能と技術を持った人が、素材やテーマと特定の状況下で出会うことで成立したユニークなものである、という事実によってアウラをまとっていました。名優が立つ舞台にも、儀礼空間のようなアウラを備えていました。英語で「天才」のことは genius と言いますが、その語源になったラテン語の genius（ゲニウス）は、「霊」という意味です。天才である芸術家の作ったものには、「霊」がやどっているように感じるわけです。しかし、写真や映画のように、人間が見たり聴いたりしたことを機械的に再現する技術が生まれ、それが芸術に応用されるようになると、それを作る技能という点も、作品の唯一性という点も相対化されます。美術館はある意味、神聖な雰囲気を帯びていますが、写真や映画はその場所でないといけないということはありません。さらに、人間の肉眼では捉えきれないようなものまで映し出し、私たちの知覚の可能性を拡げます。ベンヤミンはそれによって、人々が、特にプロレタリアートが宗教の残滓であるアウラから最終的に解放されるのではないかと期待しましたが、その反面、イタリアの未来派★がファシズムと結び付いたように、近代のテクノロジーの進歩を念頭に置き、それを創作手法に取り込んだ芸術がファシズムと結び付いていることに懸念を表明し、「ファシズムの進める政治の耽美化に、コミュニズムは芸術の政治化によって応えるだろう」、というマニフェスト的な文で締め括っています。

★ 未来派
二〇世紀初頭にイタリアで生まれた前衛芸術運動。伝統芸術の否定と機械化や速度の讃美に特徴がある。世界各国の前衛芸術に影響を与える一方、マリネッティなどムッソリーニに近づき、ファシスト党の党員となった者もいる。

ディオニソス的芸術とアポロン的芸術

ニーチェ★の『悲劇の誕生』についても補足説明しておこうと思います。ニーチェはこの著作に限らず、芸術をめぐる現代思想の議論に圧倒的な影響を与えています。それはニーチェが、私たちの意識の根底にあり、突き動かしている無意識の欲望の正体を探究し、「力への意志」が根底にあることを明らかにしたからです。多くの芸術家や文学者がその影響を受けて、人間の無意識の理不尽な欲望、善悪の区別を知らない欲望の動きに関心を向けるようになりました。

★ フリードリヒ・ヴィルヘルム・ニーチェ
本書二九頁の脚注を参照。

この著作が刊行されたのは、第二帝政が始まった直後です。一八七〇年代初頭から八八年までがニーチェが思想家として活動した時期です。それ以降は狂気に陥ります。純粋に病理学的に説明できる病かもしれませんが、理性の限界をめぐる思考を続けたあげく本人が狂気に陥ったということで、理性の限界と狂気をめぐる現代思想のテーマに、身をもって貢献した感じになっています。ニーチェはもともと古典文献学の研究者で、最初はオーソドックスな研究をやっていて、その業績が認められてバーゼル大学の准教授になったのですが、本人によると、古代ギリシャの芸術をめぐる文献学的研究を進めていくうちに、従来の文献学がよって立っていた常識がおかしいと感じはじめ、悲劇の起源をめぐる問題を起点にして、西洋人の芸術観を転倒すべく、この著作を書いたわけです。

ニーチェによると、古代ギリシャ以来、芸術は「アポロン的な原理」と「ディオニソス的な原理」の相克によって成り立っていました。「アポロン的原理」とは、秩序や均衡を生み出す理性に対応しており、各人に個としてのアイデンティティを与えます。アポロンは、牧畜と予言、芸術の神です。「ディオニソス的原理」のディオニソスは、豊穣と葡萄酒の神です。アポロンがオリュンポスの十二神の一人として確定しているのに対し、ディオニュソスは通常は入らないのですが、伝説によっては入ることもあります。彼はゼウスとテーバイの王女の間に生まれますが、ゼウスの妃であるヘラの怒りの対象になり、ヘラの迫害を逃れて各地を放浪することになりました。ディオニソスの信者たちは酒に酔ったように恍惚となり、常軌を逸した様子で野原を駆け巡りました。ディオニュソス的原理は、各人が理性を失い、個としてのアイデンティティも弱まって、集団的な熱狂に溶け込んでいく作用です。つまり、芸術には、秩序の基礎となるフォルムを作り出す理性的な側面と、すべての形式を崩壊させる非合理的な側面があるわけです。

アリストテレスの『詩学』によると、「悲劇」はディオニソス祭でディオニュソス賛歌を謳い、踊るコーラス（χορός, chorus）から発展しました。ディオニュソス的な混沌をある程度、枠にはめコントロールしようとする試みから、悲劇の形式が発展したわけです。ニーチェの見方だと、西欧の芸術史ではアポロ的な原理が優勢な時代が続きましたが、人間の意識の根底にある恍惚を求める衝動を抑圧しきることはできず、当時のドイツで、ワーグナー★の楽劇等の形でディオニュソス的原理が復活しつつある、ということです。

哲学と芸術の敵対関係

ニーチェによると、三大悲劇詩人で一番後に登場したエウリピデス★は、ソクラ

★ ヴィルヘルム・リヒャルト・ワーグナー
本書一五四頁の脚注を参照。

★ エウリピデス
本書一三九頁の脚注を参照。

テス★とコラボして、悲劇をロゴス中心に再構成し、ディオニュソス的な要素を放逐しました。エウリピデスは、市民的な目線を持った登場人物を舞台に登場させ、ディオニュソス的な恍惚に囚われつつある主人公に対して諭すようなコメントをさせます。そこで起こりつつある悲劇に対して距離を取り、冷めた目で見る人物です。そうしたアイロニカルなまなざしは、エウリピデスより少し後の世代のアリストファネス★の喜劇にも通じています。エウリピデスは、ディオニュソス的な熱狂ではなく、登場人物同士の弁証法的な対話、ロゴスによって物語を進めていく、という方針を徹底させました。

ニーチェに言わせると、理性によって事物を把握し、それを理性的言語によって表現しようとする姿勢、各人を個性ある人格たらしめている個体化の原理を強化しようとする姿勢は、エウリピデスとソクラテスに共通しています。ソクラテスの弟子であるプラトン★は、芸術に敵対的な態度を取っていたことで知られています。ご存知だと思いますが、ソクラテスは自分で本を書いたわけではありません。彼が語ったとされることは、プラトンがソクラテスとの問答という形をとった対話篇で、かなりのフィクションを含めて再現したものです。対話篇の中で最も重要と見なされているのは「洞窟の比喩★」で、イデアとは何か、イデアを見た者にどういう使命があるか、どうやってイデアに基づく理想の国家を作ればいい

★ソクラテス
本書七九頁の脚注を参照。

★アリストファネス
本書一四一頁の脚注を参照。

★プラトン
本書七九頁の脚注を参照。

★洞窟の比喩
前巻［赤版］第一講六六頁以下を参照。

のかが論じられ、その答えが、哲人王の政治が主張される『国家』です。この中で、ソクラテスは「詩」（ポイエーシス）について論じています。

「詩」と言うと、現代人には文学の一ジャンルのように聞こえますが、「詩」に当たるポイエーシス（ποίησις, poíēsis）というギリシャ語の名詞は、「作る」という意味の ποιέω という動詞に由来します。新しいものを作り出すこと、創造すること一般が「ポイエーシス」であったわけですが、その中でも、人間を他の動物と区別する特徴である、言葉によって創造することを指して、「ポイエーシス」という言い方をするようになったわけです。現代の英語で poem とか poetry と言うと、「詩」だけを指しますが、西欧の文学は近代に入るまで、すべて「韻文」でした。演劇もそうです。したがって、近代初期まで「詩」とは「文学」のことでした。場合によっては、「詩＝文学」に代表される、一定の形式に従って新しい事物を創作する、人間の行為全般を意味しました。

ポイエーシスとミメーシス

『国家』の第三巻で、ソクラテスは「詩」の本質を「模倣《ミメーシス》 μίμησις（mī́mēsis）」だと言っています。演劇や叙事詩をその例として挙げていますが、どういうことか分かりますね。現実を「真似」することが「詩」であるわけです。そういう風に言われると、私たち近代人は、それは写実主義の文学には当てはまるかもしれないが、文学には存在しないものを想像力で作り出すという面もあるのではないか、と言いたくなりますが、ここでの「模倣」は、かなり広い意味での「模倣」で、たとえそっくり同じ人物や出来事を見たことがなくても、あたかも見た気がするように再現することです。だからこそ、実際にそれを見たり聴いたりしたかのように感動するわけです。そのうえでソクラテスは、私たちの求める理想の国家で歓迎されるのは、何でもかんでも真似する詩人ではなく、すぐれた人物の語るところを、国家の法に合うように正しく真似する詩人だろう、と述べています。

『国家』第三巻では、それと並んで、「音楽・文芸」の教育についても論じています――元の言葉はμουσική（mousikē）です。musicの語源ですが、かなり広い概念で、ミューズの神々であるムーサイが司《つかさど》る文化的活動全般、狭い意味での音楽に加えて、詩作や歴史、天文などを指していました。古代の「詩」は、ディテュランボス（酒神讃歌）などがまさにそうですが、「音楽」と共に朗唱されることが多かったので、「詩」と「音楽」がセットになって考えられていたのです。ソクラテスは、リズム、音階、韻律などムシケーに関する教育は重要だけれど、それは節制や勇気、高邁さ等の気質を育み、若者を秩序正しい生活に導くようなものに限る、と示唆します。「体育」によって体を鍛え、哲学とムシケーによって魂を鍛え、心身の調和の取れた市民を育成しようというわけです。

この第三巻だとかなり厳しい条件付きで詩を始めとする芸術を許容しているように取れますが、最後の第十巻になると一転して、「模倣」を本質としている「詩」は、自分たちが建設しようとしている王国から追放されねばならない、と断言します。なぜか。まず、私たちが知覚しているこの地上の事物は、イデア界の事物を写し取ったものです。椅子を作る職人は、椅子のイデアに似せて現実の椅子を制作します。それを描く画家は、さらにその似姿を描くので、写像が二重化しているわけです。二重化することによって、その事物の本質《イデア》に迫っていけるのならいいけど、そうではない。画家や彫刻家は、目で見える部分だけうまく似せようとします。その目で見える部分だけを見た人は、それで事物の本質が分かったような気になり、画家や彫刻家を名人扱いします。そこでますます目で見える部分にばかり、人々の関心を向かわせるような「真似」をする危険があるわけです。そういう意味で、模倣的な技芸一般が危険なのに、「詩」は、人間の行動を模倣して描きます。その際に、人間の魂の理性《ロゴス》に従って正しい行動しようとする部分ではなく、情念《パトス》に従って刹那的に行動する愚かしい部分だけを写し取って、人々の情念にだけ訴えかけ、真実だと思わせようとする。人間を、他の動物のように刺激だけに反応し、真実を見られないようにしてしまう危険があるわけです。事物の本来あるべき姿を見、不純物を取り除いたロゴスに基づいて「法」を作り、国家を運営すべき哲学者たちにとって、ロゴス抜きで表面的に物事を真似してすませる詩人は、その仕事を妨害することになる。その権化が、当時、ギリシャ人たちに最も親しまれ、愛されていた叙事詩人ホメロス★です。第三巻では、ホメロスの叙事詩において神々や神に近いはずの英雄たちが、普通の人間並みに、あるいはそれ以上に愚かに描かれていることを問題視しています。

『イリアス』と『オデュッセイア』を実際に読んでみれば分かります。前者は、トロイ戦争の末期におけるアキレスと総大将アガメムノンの対立に起因する戦局の変化をめぐる話で、後者は、戦後のオデュッセウスの帰還の話ですが、これらに登場する神々は、普通の人間以上に気まぐれで、何かあるとすぐに気分が変わる。自分が可愛がっている人間を依怙贔屓《えこひいき》したり、主神であるゼウスに脅されると恐怖に駆られて、味方する陣営を変えたりする（笑）。神々なのに人間の形をして戦闘に加わったり、ときには人間に倒されて気を失ったりする。弱いですよね。ギリシャ神話には、ホメロスの叙事詩以外にも、神々のひどい話がたくさん出てきます。しょっちゅう浮気をするゼウスが、ヘラに怒られると相手の女性を隠すとか。敬うべき神々として描かれていないんです。ヘシオドス★の『神統記』

★ ホメロス
紀元前八世紀頃に実在したという吟遊詩人。最初期の文学作品とされる叙事詩『イリアス』『オデュッセイア』の作者。

★ ヘシオドス
紀元前七世紀頃のギリシアの吟遊詩人。『仕事と日』『神統記』などの作品を残したとされる。

では、大地の女神ガイアは天空の神ウラヌスを生み、そのガイアとウラヌスが交わって子どもたちが生まれたが、子どもたちが自分より強くなるのを恐れて、ウラヌスは自分の子たちを飲み込んでしまう。ガイアは子供たちの一人であるクロノスにウラノスに復讐させ、クロノスが中心となる支配体制ができるが、今度はクロノスが自分の子供を……。

そうしたことを念頭において、プラトンを代弁するソクラテスは、少なくともホメロスと同じようなタイプの詩作を生業とする者は、自分たちの理想の国家から追放すべきだ、とします。伝説では、プラトン自身若いときはホメロスなどの詩に親しみ、悲劇作家になろうとして創作していた時期もあったということなので、過去の自分と訣別するという意味でも、詩人に厳しくなっているのでしょう。

プラトンの弟子のアリストテレス★は、『詩学』という著作もあり、ポイエーシス(詩作)の役割を積極的に評価しています。『詩学』はもともと講義の草稿のような暫定的な性格のものだったのが、テクストのかなりの部分が失われているので、断片的な性格のものになっています。冒頭で、悲劇、喜劇、ディテュランボス、笛や竪琴の演奏など、すべてのポイエーシスは人間の生のミメーシスだと述べています。楽器の演奏も広い意味での「ポイエーシス」に入ります。

アリストテレスに言わせると、人間には子供の頃から「模倣」しようとする本

★ アリストテレス
本書一三九頁の脚注を参照。

能が備わっていて、その点で動物と異なっています。「模倣」することを通して、いろいろな学習をするからです。人間は、たとえそれ自体とは痛々しいもの、見るに耐えないものでも、その事物のうちに何かとの類似性を見出すことに喜びを見い出します。つまり、純粋に「イデア」中心に考えているわけではないアリストテレスは、プラトンと違ってミメーシスを人間の知的能力として評価します。『詩学』で主として論じられているのは「悲劇」ですが、「悲劇」の重要な要素として、登場人物による自らに関わる真実の「認知 ἀναγνώρισις（anagnṓrisis）」を強調しています。また、「悲劇」は、「哀れみ」と「恐れ」の感情を通して見ている人の感情の「浄化」をもたらす、という有名な「カタルシス κάθαρσις（kátharsis）」論もこのテクストの中で示されています。

ミメーシスの危険

「模倣」が無意識的・動物的であろうが、認知的であろうが、そんなに大した話ではないだろうと思われるかもしれません。しかし、一九世紀末から二〇世紀半ばにかけての「群衆」や「大衆」の性質をめぐる社会学的な議論で、「模倣」は重要な役割を果たします。フランスの社会学者タルド★は、人間の社会は相互の

★ ジャン＝ガブリエル・タルド
一八四三—一九〇四。フランスの社会学者、裁判官。主な著書に『模倣の法則』『世論と群衆』など。

「模倣」によって成り立っていると論じています。それを受けてル・ボン★は、「群衆」を、人格的同一性を喪失した人々が情動的に終結した集合体だと主張します。それを構成する各人は無責任で、互いの言動を鏡のようにして同調し合い、暗示にかかりやすいという主張です。これは当然、全体主義的な大衆運動に動員される人たちの特徴です。

前回お話ししたように、ナチスの記録映画を撮ったリーフェンシュタール★は、熱狂しているお互いを「模倣」し合って、さらに興奮していく群衆を映像に取り、ドイツ民族の一体性を演出しようとしました。ハンナ・アーレント★は、『全体主義の起原』で、不満を持った群衆《モブ》がナチスの大衆動員の基盤になったことを指摘しています。共同体的絆を失って根なし草になった多くの人が大都市で生活し、写真、新聞、ラジオ、映画などのマス・メディアや広告の影響に絶えず晒されている現代社会では、「模倣」が非常に危険な現象になりかねません。そうしたメディアは、先ほどベンヤミンに即して見たように、公衆に美的効果を及ぼします。美的「模倣」が私たち一人ひとりをより理知的にするのか、非理性的な興奮の連鎖に誘導するのか。これは、現代思想における最も重要な問いの一つです。

それとおそらく密接に関係する問題として、神的なものの「表象」、つまり神の似姿を作ること、神のミメーシスをめぐる問題があります。ユダヤ教から発展

★ ギュスターヴ・ル・ボン
一八四一―一九三一。フランスの社会心理学者、物理学者。主な著書に『群集心理』など。

★ レニ・リーフェンシュタール
本書八三頁の脚注を参照。

★ ハンナ・アーレント
本書七六頁の脚注を参照。

したキリスト教は、西欧の支配的な宗教になっただけではなく、ギリシャ的な文明と融合し、哲学を始めとする西洋の学問や芸術の根幹を作り出していきました。ユダヤ教にはもともと偶像禁止の思想がありました。神は人間の認知能力を超えた存在であるので、物質で表現できるものではないという考え方です。旧約聖書を読むと、出エジプト後のイスラエル民族が何度も偶像崇拝に陥り、それを神が罰する話が繰り返されます。ユダヤ教やユダヤ教の影響を強く受けたイスラム教は、偶像禁止に徹しています。イスラム原理主義運動が他宗教の遺跡を破壊することがあるのは、偶像禁止と関係しています。ギリシャ正教では、八〜九世紀にイコノクラスムと呼ばれる偶像破壊運動がありましたが、実際には、キリスト、天使、聖人などの宗教画が伝わっていますね。これらは、絵ではなく、「イコン」と呼ばれています。ギリシャ正教では、「イコン」そのものは決して崇拝の対象ではなく、そこに描かれている聖人などの事績を想起することを通して、神への信仰を強めるための媒体だと説明されているようです。

キリスト教、特にカトリックは偶像に甘いというイメージがありますが、フランクフルト学派のアドルノ★は、「偶像崇拝」の真の意味は、人間が想像力を勝手に働かせて、自分たちの理想とするユートピアを具体的にイメージさせないよう抑止することにあります。現に、旧約聖書の世界では、偶像崇拝は、モーセの伝

★ テオドール・アドルノ 本書八二頁の脚注を参照。

える神の戒めとは異なる教えを信奉する分派活動に繋がっています。その観点からすると、ベンヤミンの言うような、複製技術時代の芸術作品へと向かう芸術の世俗化の歴史は、人間の想像力が宗教の枠を離れて自由に展開するようになっていく過程だとも言えます。ベンヤミンはそれを解放の過程として肯定的に見ていますが、アドルノは、それは自分の周囲の自然や世界を自分のイメージに従って同一化し、つまり均一的なものへと加工し、支配しようとする啓蒙的理性が解き放たれることと見て、批判的に反省を加えます。啓蒙的理性は、人間がもともと持っているミメーシス能力を歪めます。

アドルノによると、人間のミメーシス能力というのは、自分とは異質なものからの刺激を受けて、自分をその運動に同調させていくことで、他者を知る能力だったのですが、すべてのものを、計量可能な単位とか金銭表示される価値に還元して把握しようとする理性が発動すると次第に弱まっていきます。「理性」を意味するラテン語 ratio は、もともと「計算」という意味です。自分とは異なる他者を知ろうとするのではなく、すべてを、自分が分かるもの、自分がイメージできるものに置き換えてしまうわけです――アリストテレスのミメーシス論のネガティヴ・ヴァージョンですね。アドルノは、啓蒙的理性の支配が強まるに従って、私たちのミメーシスの能力はどんどん退化し、芸術の領域にわずかにその痕跡が見られるとしています。

人間性の再定義

聖カタリナ修道会のイコンをご覧ください［図4］。この絵に具象性がないわけではありませんが、それほどリアルに描いている感じでもありませんね。人物に後光みたいなものが描かれているし、身体のポーズ、特にこういう手の動きは、まったく不可能ではないとはいえ、かなり不自然です。この人物、イエス・キリストは服を着て、あまり身体性を見せていません。顔は表情豊かと言えるかどうか。ルネサンス絵画の基準と比べると、身体性は強調されていません。

チマブーエ★という中世末期のイタリアの画家が描いた絵が典型的です［図5］。この作品から数十年も経つとルネサンス期に入るのですが、中世末期の絵はものすごく抽象的に描いていて、人物の身体性をあまり出していません。

西洋の宗教芸術といえば、ミケランジェロ★のイメージが強いと思いますが、ミケランジェロの絵は裸体に近いものが多いですね。男性なら筋肉、女性にあたる人物なら乳房を描いています。そういう作品に比べると、チマブーエの絵は、中央にいるマリアでも、普通の人間ではないとはいえ、まわりから天使が出てきて、

［図4］エジプトのシナイ半島にある聖カタリナ修道会のイコン。

★チマブーエ
一二四〇頃―一三〇二頃。イタリアのゴシック期の画家。
［図5］「聖母と天使たち」（一二七〇頃）

★ミケランジェロ・ブオナローティ
一四七五―一五六四。イタリア・ルネサンス期の芸術家、建築家。「ダビデ像」「システィナ礼拝堂天井画」など。

彼女に服を着せています。ルネサンス絵画で有名なミケランジェロやティツィアーノ★の作品と比べると、人間の身体のイメージが抑え込まれ、ものすごく抽象化されています。おそらく、アドルノのいう広い意味での偶像禁止の影響があるのでしょう。宗教に人間の身体を匂わせるものを持ち込んではいけない、という考え方があったのだと思います。

それがルネサンス期になり、人間性が再定義されることによって、様相がぐっと変わってくる。ルネサンス期は、人間性、ラテン語でいうと「フマニタス」の再発見がなされたとされています。この講義の第4講［本書四四頁以下］でもこの話はしたので、少し端折らせてもらいます。「ルネサンス」は高校の世界史の教科書で「文芸復興」と説明されることがありますね。もともと絵とか彫刻での話ではないんですよ。古代の著述家たちが、「人間は本来こうあるべきだ」と論じた文献を復権させて、人間中心の視点から読み直すことだったんです。

岩波文庫に入っているキケロ★の『弁論家について』を読むと、「人間らしさ」という意味での「フマニタス」について論じられているのが分かります。人間はみな罪人だとするキリスト教の影響が強かった中世では、古代の「ヒューマニズム」的な文献は、キリスト教の教義を補完するものとしてしか読むことを許されませんでした。それがルネサンスで、「フマニタス」に関する文献をそれ自体と

★ ティツィアーノ・ヴェチェッリオ 一四八八頃—一五七六。イタリア・ルネサンス期の画家。「洗礼者ヨハネの首をもつサロメ」「聖母被昇天」など。

★ マルクス・トゥッリウス・キケロ 前一〇六—前四三。ローマ共和政末期の政治家、哲学者。主な著作に、『国家論』『友情について』『神々の本性について』など。

して読み、「人間性」の理想を追求することが許容されるようになりました。それに伴って、それまで罪の巣窟と見なされていた人間の身体の細部を生々しく表現することが認められるようになります。ミケランジェロが典型的ですね。彼の作品では人間の身体の特徴が強調されていますが、モチーフからすると宗教画や彫刻で、法王庁など教会関係の施設に設置されています。身体のどこをどう捻ったらどこがどうなるかをリアルに表現する宗教画です。

感性と理性の再定義

バウムガルテン★という一八世紀の哲学者によって、「美学 aesthetica」が哲学の中の独立の領域として確立されました。彼によると、「美学」は「感性的認識 cognitio sensitiva」の学です。つまり、感性、五感を使っての認識です。理性による認識、論理的な思考による認識が上位の認識能力であるのに対し、これはそれを支える下位の認識能力です。「美学」が問題にする「美」、芸術の「美」は、感性的認識においてその対象がそれ自体の備えている形式において、他の対象との関係で調和が取れている、と判定されるということです。そうやって、哲学の中に、芸術の居場所を控え目に確保したわけです。

★ アレクサンダー・ゴットリープ・バウムガルテン
一七一四－一七六二。ドイツの思想家。「美学」を提唱したことで知られる。主な著作に『美学』など。

哲学者のカント★はバウムガルテンの影響を受けたのですが、複雑な議論をしています。彼は認識における上位／下位において、『純粋理性批判』は認識論の著作ですが、ここでは、対象の認識における「感性 Sinnlichkeit」と「悟性 Verstand」の協働を軸に議論を進めています。「感性」は時間・空間の中でその事物についての知覚的データを収集し、「悟性」はそれに対し、「〜ならば〜である」（原因）とか、「AはBである（でない）」（肯定・否定）といった基本的概念《カテゴリー》を当てはめて、対象を把握します。狭い意味での「理性 Vernunft」は、「感性」と「悟性」を使って、何をどのように認識するか方向付けしたり、自己修正したりします。

「感性」と「悟性」を結び付けるうえで、「想像力（表象力）Einbildungskraft」が一定の役割を果たします。簡単に言うと、ばらばらに入ってくる感性的データを一つのイメージに取り集めて、悟性がカテゴリーを当てはめることができるように整えたり、すでに知っている対象と似た刺激を得た場合に、記憶に従ってそれがどういう対象だったのか再現したりします。例えば、私たちはいろんな携帯電話の形や着信音をすでに認識しているので、携帯の表面をちらっと見たり、よくあるメロディーを耳にすると、携帯、しかも特定の機種の携帯を思い浮かべたりします。そうやって想像力の働きで早めにいろんなイメージを作っているおかげ

★　イマヌエル・カント　一七二四—一八〇四。ドイツの哲学者。ドイツ古典哲学の祖。『純粋理性批判』『実践理性批判』『判断力批判』の三批判書をはじめ後世に与えた影響はあまりにも大きい。

で、私たちは日常的に行動することができるわけです。

その「想像力」が芸術作品など、「美」という側面に焦点が当てられる対象の場合にどう働くのかを論じたのが、カントの三批判書★の最後に位置する『判断力批判』です。

「判断力」というのは、「AはBである」と判断する能力のことですが、「私の眼の前にあるこれは携帯である」という判断であれば、それが正しいかどうか検証すればはっきり答えは出ます、「美しい」や「醜い」といった美に関する判断は、主観的な性格のもので、ある意味、人によって違います。自分で判断しないといけない。カントに言わせると、私たちは自分にとってそれが心地よいかどうかで、美／醜を判断しています。そういう意味で、「趣味判断」と言います。これは、普遍的な「美」のイデアを探究したプラトンとは対照的ですね。

ただ、まったく無秩序に趣味判断しているのであれば、「美学」など成り立ちません。心地よく感じるのは、その対象から受ける刺激が私たちの認識の枠組みに適合していて、かつ、私たちの想像力が自由に戯れるからです。美しいものを見ると、私たちはその対象と自分の関係についていろいろと想像しますね。美しい花だと、どこにあったらより綺麗だとか、そのまま楽しもうか摘んできて花瓶に活けようかとか、それが美しい異性だったら……。対象の形式に何の規則性もなかったら、心地よい想像など働きません。つまり、一定の美的と言っていい性格の基礎になるものを悟性で認識し、それに基づいて想像力を働かせ、悟性と想像力の働きがうまく調和しているとき、快感を得るわけです。

それだけではありません。私たちは「この花は美しい」と判断するとき、何らかの形でそれが他の人にも理解可能だと想定していますね。花というのは○○であるのが本来の姿であって、この花はそれに適合している、だから私は心地よさを感じる、という風に判断するわけですが、それは他の人も理解できる、と暗黙のうちに想定しているわけです。いわば、自分と同じ「人間」という種に属する人の共同体、あるいは、もっと小さい同じ民族とか、同じ文化を持つ共同体に属する同胞の眼を想像し、彼にとってもこれは美しいはず、と判断している。これを「美」の「普遍的伝達可能性」と言います。また、こうした同胞である他者の感覚を暗に想定して、自分の趣味判断を調整する感覚を「共通感覚 sensus communis」あるいは「共同体感覚 gemeinschaftlicher Sinn」と呼びます。五感をまとめ、かつ、個人の感性と共同体のそれを一致させる「共通感覚」については、アリストテレス以来の議論の系譜があり、中村雄二郎★さんの『共通感覚論』で、この概念の多方面の拡がりが解説されています。晩年のアーレントは、これがポリスを統合する基礎になると見ていたようです。

★ 中村雄二郎
一九二五―二〇一七。哲学者、明治大学名誉教授。主な著書に、『共通感覚論』『魔女ランダ考』『術語集』など。

カントはこの『判断力批判』で「美 das Schöne」と「崇高 das Erhabene」を区別しています。保守主義の元祖でもあるバーク★は『崇高と美の観念の起源について』で、「美」が巧みに形成されていて、私たちの感覚に心地よいものであるのに対し、「崇高」は私たちを強制し、破壊する力を持つものとして恐怖と共に経験されるという区別を導入していました。バークは私たちの日常的な経験や社会的慣習に訴えて議論を進めていますが、カントはそれを自分の認識論に即して掘り下げました。形式的規定性に基づいて表象され、悟性による把握の枠に収まるのが「美」です。幾何学模様みたいなものを美しいと感じるときを考えれば分かりやすいと思います。それに対して、「崇高」さの感情は、そうした形式を持たないもの、少なくとも観察する主体にとって形式を持たないように見えるもの、巨大な山や滝とか、五感を普通に使ったのでは捉え切れないものに遭遇したときに喚起されます。

カスパー・ダーヴィト・フリードリヒ★という画家の絵に、「氷の海」があります［図6］。わりと有名なので見たことがある人もいると思います。もっと有名

★エドマンド・バーク
本書八四頁の脚注を参照

［図6］「氷の海」（一八二三―二四年）

★カスパー・ダーヴィト・フリードリヒ
一七七四―一八四〇。風景画を多く残したドイツ・ロマン派の画家。

な作品では、雲がかかっている高い山に旅人のような人が危なっかしく立ちはだかっているものがあります［図7］。このフリードリヒの絵は、「崇高なもの」を表している絵の代表としてしばしば言及されます。

「美しい」というよりは、畏怖の感情、場合によっては無気味さを感じさせる、しかし、何故か魅惑的なものがあるのではないかという問題意識は、バーク、カント、ドイツ・ロマン派★に共有され、アドルノなどを経由して、フランスの現代哲学にまで継承されています。リオタール★という哲学者は、『判断力批判』の読解を通して「崇高」が無意識の領域から生じてくるものであることを示唆しています。「崇高」は英語だと sublime、フランス語でも同じ綴りですが、語源になったのはラテン語の sublimis で、「～の下」という意味での接頭辞 sub と、「敷居」という意味の名詞 limen に分解できます。リオタールはそのことに注意を向けます。つまり、「何か」の敷居の下を潜って出てくるもの、という意味合いの言葉です。その「何か」が、観察する主体の意識だとすれば、「崇高なもの」はもともと無意識の領域に潜んでいたものが、密かに敷居を超えて出てきたもの、ということになるでしょう。だとすると、「崇高なもの」が怖いのは、それがまったく知らないものだというより、無意識の中に潜んでいた自分の中の未知のものが露わになったからだ、ということになりそうです。あるいはその逆に、いつのま

［図7］「雲海の上の旅人」（一八一八年）

★ ドイツ・ロマン派
フランス革命の影響を受けながら自己の内面世界を探求した芸術運動。シュレーゲル兄弟、ノヴァーリス、ヘルダーリンから哲学者のフィヒテ、シェリングを含めることもある。

★ ジャン＝フランソワ・リオタール
一九二四―一九八。フランスの哲学者。「ポストモダン」概念を提唱し、広く受容された。主な著書に、『ポストモダンの条件』『文の抗争』など。

にか「敷居」を超えて侵入してきたので、怖いということかもしれませんが、いずれにしても、「崇高なもの」は無意識に対応していることになります。「サブリミナル効果」というときの subliminal も、綴りから分かるように同じ系統の言葉です。リオタールは、「美」が合理的な主体によって制御された表象の枠内に留まるのに対し、「崇高」は理性によっては制御できない、いわば、内なる他者としての情動、調和した表象の体系は攪乱する制御不可能な情動に対応するという見方を示し、「崇高」が、現代の前衛芸術の理念に対応していることを示唆しています。

無意識の哲学と芸術

ドイツ・ロマン派の芸術理論では、無意識と哲学・芸術が密接に結びつくようになります。ドイツ観念論の代表的な哲学者でもあるシェリング★は、芸術作品や神話は、人間の自己直観を反映しているという見方を示しました。芸術家が作品を作っているときに、必ずしも意図してなかったものが作品の中に現れてきて、本人がそれに気付いて、驚くという話をよく聞きますよね。小説や演劇のように言葉で表現される筋があるものでも、作者が最初の構想に入れていなかったもの

★ フリードリヒ・シェリング 一七七五―一八五四。フィヒテ、ヘーゲルとともにドイツ観念論を代表する哲学者。主な著書に、『悪の起源について』『人間的自由の本質』など。

が物語の展開の中で、必然性をもって現れてくることがあります。では、そういう意図しなかった要素が偶然生まれたのかというと、そうでもない。作った人も、後で振り返ってみると、何となくそれを自分が求めていたような気もする。単なるミスだったら、作品を完成させる気にならなかったでしょう。自分の中にもともとあった無意識的な欲望が、素材を加工していく作業の中で、素材に反映され、それが当初の意図を超えたものになる。

神話についても、人間の無意識の領域にあったものが、物語の中に現れ語り伝えられたものと見ることができます。神話的な世界観を表現する紋章とか壁画、祭具のようなものがありますね。神話を意味するギリシャ語 μῦθος（mŷthos）は、もともと単に「物語」という意味でした。神話自体が、ホメロスなどによる芸術作品だと考えることもできます。ただ、普通の芸術作品は、決まった作者がいて、誰が何を作ったか確定しているのに対し、神話の場合、昔から不特定多数の人によって語り伝えられるなか、徐々に形成されきたものです。ホメロスの作品である『イリアス』や『オデュッセイア』も彼がゼロから考えたわけではなく、以前からの語り伝えを彼なりにアレンジしたものです。ホメロスという単独の詩人は実はいなかった、という説もあります。「神話」的なものを基準に考えると、人間の無意識は、一人一人個別に他とは独立に成立しているのではなく、根底において互いに繋がっていて、それが、物語を語り伝えたり、宗教的な表象を行なったりするときに、「作品」として現れるのではないか。作者がはっきり決まっている作品も、実は、神話的な無意識の層で、共同体で共有されているイメージから着想を得、共同体的な生活慣習の中で培われた想像力を刺激されることによって、具体的な形を与えられたのではないか。現に、前近代の芸術作品や、職人さんの工芸のようなものには、集合的に創作されているので誰が作ったのかはっきりしないものが多いではないか。そう考えると、われわれが芸術作品によって影響を受けるのは、その作品を作ったのは自分ではなく、著名な芸術家であるけれど、その芸術家と自分に共通する無意識の層があり、それが刺激されてそこに自分を見出しているのではないか、という見方が成り立ちます。

こう考えると、想像力は個々の人間ごとに別個に発動するのではなく、また生得的に完成した形で備わっているわけではなく、社会で生きていく中で生活慣習、会話、道具、神話・伝承・伝聞、文学・芸術作品などを介して、共同で育まれるものではないか。共同体の中で生活すること自体が、実は大いなるポイエーシスに参加することではないか、という見方さえできます。ドイツ・ロマン派は、無意識のレベルでの共創造という発想で、カントの「共通感覚」論をこういう風に拡張しました。ドイツの初期ロマン派のフリードリヒ・シュレーゲル★やノヴァー

★ フリードリヒ・シュレーゲル
一七七二―一八二九。初期ドイツ・ロマン派の思想家、詩人、哲学者。雑誌『アテネーウム』を創刊し、多くのアフォリズムや断想を寄稿した。主な著作に、『ルツィンデ』『インド人の言語と英知』など。

リス★は、芸術創造には神話が必要であると言っています。この場合の神話とは、神様が出てくるお話しということではなくて、共同体の想像力に形成された自分たちの世界のイメージ、それについての共同体の語りですね。共同体がしっかり神話を共有していると、その民族から多くの芸術家が現れ、人々は彼らを介してさらに共同体的想像力を高めることができました。しかし、近代化と共に、個人主義化して、神話的現勢が枯渇すると、お互いに共鳴しあうことも少なくなり、芸術的創造性も落ちていきます。ロマン派は、その意味で、啓蒙主義による過度の個人主義化、世俗化に反発します。

この共創造という論点は、現代において知的財産との関係でも話題になります。音楽の場合、天才作曲家のオリジナルな曲でも、ストリートで演奏され、歌われる音楽、民謡、流行歌の替え歌など、その作曲家はそれまでいろいろなものを聞いて、自分の感性を育ててきたわけです。それらは部分的にでも自分のメロディーやリズムに取り入れられているでしょう。しかし、それを一度でも自分の名前で作品として発表したら、完全にその人の著作権になってしまい、勝手な他人の使用を差し止めることができる。ホームビデオでも、BGMでその人の曲が少しでも流れていたら、著作権侵害だといって訴えられる。それもアメリカでは実際にあるようです。それでみんな萎縮して、パロディや引用、漫画だと二次創

★ ノヴァーリス 一七七二—一八〇一。初期ドイツ・ロマン派の詩人、思想家、鉱山技師。主な著作に、『ザイスの弟子たち』『青い花』『夜の讃歌』など。

作をしなくなる。作曲家、作者自身は、いろんな人からの文化的伝承のおかげをこうむっているのに、その一部を自分の著作物に取り込んで、他人には使えないようにしてしまう。おかしくないか。完成度の高い作品に仕上げたことに対する報酬はいいとして、自分の所有物として認められたのをいいことに、共同体的創造の過程を分断するのは不当ではないか、アーキテクチャ論でも有名な法学者のローレンス・レッシグ★はそういう議論を展開しています。

この無意識の共有された想像力というロマン派的な発想は、二〇世紀初頭のフランスを中心としたシュルレアリスム★などに影響を与え、そこからさらにベンヤミンやブランショ★に影響を与え、デリダ★の脱構築や差延といった概念もロマン派的な発想によるものではないかとされています。これは宣伝になりますが、以前出した『モデルネの葛藤』というドイツ・ロマン派の研究書を最近再刊しました。この本の中でそういう問題を扱っています。よろしければご一読ください。

芸術の身体性をめぐって

フランス系の現代思想には精神分析の影響がかなり入っていて、その関連で、主体がコントロールできない無意識の欲動と芸術の関係に関心が持たれています。

★ ローレンス・レッシグ
一九六一年生。アメリカ合衆国の憲法学者、サイバー法学者。

★ シュルレアリスム
戦間期にフランスで起こった前衛的な総合文化運動。ブルトン、アラゴン、エリュアールらが中心となった。

★ モーリス・ブランショ
一九〇七―二〇〇三。フランスの哲学者、文芸批評家。主な著作に『至高者』『来たるべき書物』など。

★ ジャック・デリダ
一九三〇―二〇〇四。フランス領アルジェリア出身で、フランスのポスト構造主義を代表する哲学者。主著に『エクリチュールと差異』など。

現代思想と前衛芸術が不可分の関係にあるというイメージを持っている人は多いと思うのですが、その背景に、ロマン派の神話論・共創造論があるわけです。

フランス現代思想は、ハイデガー★、サルトル★、メルロ＝ポンティ★などの現象学系の議論の影響を強く受けていますが、身体の共感覚をテーマにしたメルロ＝ポンティは、とりわけ芸術との関連が深いです。先ほどの「共通感覚」論の話で、「共通感覚」には共同体感覚とか常識（common sense）といった側面と、五感相互の調整を図るという側面があるという話をしました。メルロ＝ポンティは私たちがさまざまな動作を行なうに際して、五感が協働し、対象を総合的に把握していること、身体がそうした統合を通して、対象の「意味」を生み出していることを明らかにしました。その議論の中に、「共感覚 synesthesia」を位置付けています。複数の知覚が連動しているというより、融合している状態です。天才的な芸術センスを持っている人に、「音を見る」とか「色を聞く」という感覚が自分にはある、という人がいますね。メルロ＝ポンティに言わせると、目とか耳とか口とか特定の器官が特定の知覚機能に特化しているというより、身体全体が統合されて対象と関わっていて、五感として分解されて認識される以前に、各器官が相互に干渉し合いながら、対象からの刺激を受けとめています。その未分化の刺激がそのまま意識にのぼってくる人がごく少数いる、というだけの話です。

★ マルティン・ハイデガー
本書三四頁の脚注を参照。

★ ジャン＝ポール・サルトル
一九〇五―八〇。実存主義の提唱者として戦後フランスを代表する哲学者、小説家、社会運動家。主な著書に『存在と無』『シチュアシオン』『聖ジュネ』『自由への道』など。

★ モーリス・メルロ＝ポンティ
一九〇八―一九六一。フランスの哲学者。現象学を中心に、実存主義と構造主義を架橋する大きな足跡を残した。主な著作に『知覚の現象学』『弁証法の冒険』『目と精神』など。

私なりに砕いて凡人でも分かるレベルの話をすると、物を見ているときの自分の身体の緊張を観察していると、触覚と視覚のコラボが分かります。物をじっと見ているとき、手はほとんど動かさないので、触覚はあまり関係ないような気がしています。しかし目線を上下させると必ず首の筋肉が動きます。首を少し意識すると、首の周囲の筋肉が動いているのが感じられます。ずっと同じものを見ていると首の位置が固定されてきます。でも、じっと視線を固定していられる人はいませんから、焦点をちょっとずらすごとに微妙に首の筋肉が動きます。一つのものを凝視するのと、ぼんやり見るのとでは明らかに筋肉の動きが異なります。近くにある対象が動けば、空気の動きが感じられるでしょう。

　ものを見るとき、手や足は必ず何かに触れています。自分の服や靴だったり、空気だったり。その接触でいろんなことを感じています。美術館で作品を立って見るか、座って見るか、歩いて見るかといった、体全体の筋肉の動きが、目を動かす筋肉に微妙に影響を与えます。彫刻や絵画には強い匂いがするものがあります。美術館や劇場には独特の匂いがしみ込んでいるものがありますね。鼻が反応すれば、同じ顔にある目や耳の動きにも影響を与えないはずがないでしょう。

　浅田彰★さんによる紹介で日本でのポストモダン思想ブームのきっかけになったドゥルーズ★とガタリ★に強い影響を与えた劇作家のアルトー★は、先ほどの知覚の

★浅田彰
一九五七年生。批評家。京都造形芸術大学教授。主な著書に『構造と力』（勁草書房）、『逃走論』（ちくま文庫）など。

★ジル・ドゥルーズ
一九二五—九五。二〇世紀フランスを代表する哲学者。ガタリとの共著『アンチ・オイディプス』『千のプラトー』で「リゾーム」「器官なき身体」等の概念を提唱。主著に『差異と反復』など。

★フェリックス・ガタリ
一九三〇—一九九二。フランスの哲学者、精神分析家。ドゥルーズとの共著のほか、著書に『分子革命』など。

★アントナン・アルトー
一八九六—一九四八。フランスの詩人、演劇家。晩年は精神病院に収監される。主な著書に『ヘリオガバルスまたは戴冠せるアナーキスト』など。

未分化状態よりもさらにラディカルな議論をしています。「器官なき身体 Corps-sans-organes」です。例えば、口は多くの役割を果たしています。喋るだけでなく、食べるときの噛む、攻撃的に噛む、性行為で噛むこともあるし、物を咥えて運ぶ、呼吸したり、しゃべったり、歌をうたったりするなど、いろいろな使われ方をします。普通われわれは、話すときはこう使う、ものを食べるときはこう使う……と口の機能が分化しているように思えます。食べるときに噛むのと、性行為で噛むのを混同したり、呼吸のために口を開けるのとしゃべるために開けるのを混同したりすると、おそらくまともな社会生活は送れないでしょう。

　しかし赤ん坊は、あまり口の動きが自由でなく、何のために開けたり、噛んだりしているのかはっきりしない。物心がついていない子どもが、大人から見て、意味もなく噛み付いたりしますね。普通の大人なら、口はこういう状態は食事で、こういう状態はしかめっつらを相手に見せるためで、こういう状態は呼吸で、手はこういう状態は物を掴み、こういう状態は字を書く…というように、器官として機能分化していています。しかし、何かのきっかけで、病気だったり、物凄く疲労していたり、すごいショックを受けたりして、分化が崩れ、部分的に元の未分化状態に戻ることがある。体内に情動が充満し、蠢《うごめ》いて……るんだけど、それがどの器官を通じてどう作用するか未確定な状態です。芸術的な表現になったりするわけです。アルトーは、身体に負荷をかけることで「器官なき身体」を部分的に実現することを試み、それを「残酷演劇」と呼びました。芸術というのは、高度に洗練された身体技能を要求する側面と、逆に、未分化状態をあえて再現するという両面があると思います。前衛芸術では後者の側面が強調されるのでしょう。

バイオリンを弾いている人がいます。バイオリンを弾く動作ではあるものの、指の動きだけを見ると性的なニュアンスがあるように見えなくもない。普通人間は、愛情の対象になるようなものに軽い刺激を与えようとするとき以外は、ああいう指の動かし方をしないからです。そういうことを言い出すと、いろんな手の動きが性的に見えてきますね(笑)。妙な欲求を持っているんじゃないかと思わせるような、ヘンな字の書き方をする人を見たことがありませんか。何か意味があるのだろうか思わせるような。ここ十年ほど、女子学生に妙に字の汚い、というか、普通の男子よりも乱暴に、ヘンなところに力を入れている書いている子が増えているような気がします。力をいれすぎて、提出物の紙がちょっと破けていることもあります。いかにも荒っぽい感じの子ではなくて、おしゃれに気を使っていそうな子が。授業中に課題をやらせているときに観察していると、かなり胸に紙を引きつけて書いている。手を動かせるスペースがなくなって、腕を脇にくっつけて、それに合わせて首もひっこめることになってしまう。こういう窮屈な状態で書いたら、指先に力を入れにくくて書きにくいので、思い切って書こうとしたら、不自然に力が入ってしまう。おそらく無意識のレベルで何か理由があるのでしょう。一部の女子学生だけに見られるのですから。もし、男子学生とか年輩の人にも、そういう現象が見られるのなら、興味深いので教えてください。私も字は汚いのですが、面倒くさがりで力を抜いているせいで、汚くなっています。通常は、横着なせいで、汚くなる人が多いと思います。最近の学生は、身体とシャープペンシルの間に、大人には分からない特殊な身体的繋がりがあるのかもしれませんね。ドゥルーズとガタリは、人間の身体の各器官が、自分の身体の他の部位、他者の身体、動物やおもちゃ、道具などいろんなオブジェとの間に特定の関係を形成して、自動的な運動を繰り返している状態を「機械」と呼び、人間の身体、統一的な秩序を必ずしも持っているわけではない、さまざまな「機械」の連鎖、連合体と見ています。

アニメ・キャラの身体性

架空のキャラの身体性も、現代思想の重要なテーマになりつつあります。大きなテーマなのですが、時間がないので一つの例に絞ってお話しします。初期の

『蒸気船ウィリー』（一九二八年）より。

ディズニー映画に『蒸気船ウィリー★』というアニメがあります。これはミッキーマウスが主人公になったトーキー★の第一作目で、ベンヤミンやエーリッヒ・フロム★が、この作品が暴力の連鎖であると指摘しています。『トムとジェリー★』ならまだしも、ミッキーマウスに暴力性があるのかと言われると意外ですよね。

　これは短篇映画で、原題は *Steamboat Willie*、一九二八年の作品です。実際に見てみると、これが確かに暴力的なんです。他の動物の首をぎゅっとねじって、普通だったら明らかに死んでいます。胴体をへし折るとか、かなり無茶苦茶やっていますね。ミッキーマウスが恋人のミニーに自分のメッセージを届けるため、別の動物の身体をぐるぐる巻きにして無理やり鳴かせたり、動物が動物を虐待したり、ものすごく残酷です。最後はミッキーが船長に捕まって、船室にぶち込まれる。全然希望がありません（笑）。ベンヤミンはこれを無意識下で抑圧されたものを爆発させるグロテスクな情景と言っています。フロムはこの作品で、ミッキーが絶えず追い回され、最後は監禁されるところに注目し、現代人、特に労働者が置かれている、絶えず追い回されている心理状態の象徴だと語っています。それを当時の普通の観客は可愛いといって喜んでいたわけです。

　そういう見方をすると、確かに今のディズニー映画でも『トムとジェリー』でも、追いかけっこがあるような作品は、暴力シーンだらけで、残酷です。血を描

★『蒸気船ウィリー』
一九二八年に公開されたディズニー制作の短篇アニメ映画で、ミッキーマウスのデビュー作。

★　トーキー
talking picture の略称で、映像と音声が同期した映画のこと。無声映画（サイレント）に変わって一九二八年代後半から次第に映画の主流となった。

★8　エーリッヒ・フロム
一九〇〇―八〇。ドイツの心理学者、精神分析家。主な著作に『自由からの逃走』『愛するということ』など。

★『トムとジェリー』
一九四〇年からアメリカのMGMによって制作され続けているネコのトムとネズミのジェリーのドタバタコメディ。

かないのと、絵がそれほどリアルではないので、残酷感が薄らいでいるだけなのかもしれません。そういうことに気が付かないで、普通の人が喜ぶのは、何らかの集合的無意識の作用があるのかもしれません。リアルな絵になったら、残酷さを感じるのかというと、必ずしもそうではないようです。『ジョジョの奇妙な冒険★』や『進撃の巨人★』などは、私からすると、身体がリアルにねじられたり、押しつぶされたり、食われたりするシーンがあって、結構気持ち悪いのですが、最近の若い人は、女子を含めて平気なようですね。『ワンピース★』だって残虐ですよ。手や足を切り落とされて、そのまま回復しないで、障害を負ったまま闘い続けるんですから。身体的な苦しみをどう描くかについては、手塚治虫★以来、日本漫画独得の文法があるそうなのですが、その文法は時代と共に、若者の身体感覚に合わせて変容しているのではないかと思います。

★『ジョジョの奇妙な冒険』
一九八六年に始まった、荒木飛呂彦によるコミック。単行本は一二〇巻を超え、シリーズ累計一億部以上売れているという。

★『進撃の巨人』
二〇〇九年に始まった、諫山創によるコミック。単行本は既刊三三巻で一億部以上売れているという。

★『ワンピース』
一九九七年に始まった、尾田栄一郎によるコミック。単行本は既刊九八巻で四億部以上売れているという。

★手塚治虫
一九二八―八九。日本を代表する漫画家。代表作に『鉄腕アトム』『火の鳥』『ブラック・ジャック』『アドルフに告ぐ！』など。

会場から

――ロマン派によると、個人主義化、あるいは近代化すると共有するものがなくなって芸術家が生まれにくいということでした。現代はネットの登場でさらに芸術や情報が細分化されている時代で、知のあり方も多様化しています。そのような状況では、新しいものも生まれにくいと思うのですが、それに対して今の現代哲学はどのように論じているのでしょうか。

人間が無意識のレベルで想像力を共鳴させ合っているのは間違いないのでしょうが、それがどうやって、どういう経路で働いているのかは、本当のところは誰も分かっていません。心理学や社会学でも厳密につきとめることは不可能でしょう。人間の感性的生活はあまりにも多くの要素を含んでいます。

しかし、優れた芸術作品だと広く認められ、一般の人も関心を持つようなものの数が減ったり増えたりする傾向はあるのだと思います。ドイツ・ロマン派の時代は、ドイツ語で書かれた文学作品の数が圧倒的に増えました。これには、国民国家の形成に伴う言語の統一や、読者になりうる層の形成、劇場やメディアなどの媒体といった問題があります。英国やフランスはもっと早い時期に、国民文学が定着し始めます。そもそも印刷術がないと、そんなに多くの人に作品の存在自体を知らないし、活字を読むことに慣れている人も少なかったでしょう。印刷の技術の問題に加えて、出版社、印刷所、書店などから成る生産と流通のシステムも必要です。それから、以前の講義でお話ししたように、ハーバマスが関心を寄せている、読書サークル、サロン、カフェ、それから戯曲を上演する劇場などから成る、文芸的公共圏が必要です。

ロマン派の時代は、そうした文学のための基本的インフラが整備されていく一方で、共同体が崩壊して、個人主義が強まっていました。文学作品を書きやすい環境はあるけれど、その一方で、ドイツ語を話す人が誰でも慣れ親しんでいる、と言えるような神話や伝承は減少している。ドイツらしい文学創作ができるのか。そういう問題意識の中で、グリム兄弟★やアルニム★とブレンターノ★の童話収集が行なわれ、ロマン派は、そうした素材に基づいて、自分たちの作品でドイツ的なものを再現しようとしたわけです。

★グリム兄弟
ヤーコプとヴィルヘルムの兄弟とも一九世紀にドイツの作家、文献学者、言語学者。兄弟でメルヒェンや民謡の発掘収集に努め、『グリム童話集』を編纂した。

★アヒム・フォン・アルニム
一七八一―一八三一。ドイツ・ロマン派の詩人。ヨーロッパを旅行し、義兄のブレンターノとの共著で民族童話集『少年の魔法の角笛』を出版した。

★クレメンス・ブレンターノ
一七七八―一八四二。ドイツ・ロマン派の文学者。義弟アルニムとの共著『少年の魔法の角笛』は「ドイツのマザー・グース」と呼ばれている。

現代は、メディアや市場の面では、集団的想像力が働きやすいと言えます。東浩紀★さんが『動物化するポストモダン』で論じているように、ネット上のデータベースを利用して、二次創作できる環境も整った。ただ、東さんも言っているように、日本全体でサブカルを共有化するという感じではなくて、こぢんまりとした、オタク・サークルがたくさんできてしまっている感じですね。アニメだけの話ではなく、文学でも、誰でもが読む名作がだんだん少なくなっている感じですね。教科書に載っている定番作家は大分変化しているし、最近は「文壇」という言葉を聞かなくなりました。たぶん若手の芥川賞を取るような作家の作品が好きな人と、ロシアやフランスの古典文学が好きな人では話しが合わないんじゃないんでしょうか。演劇でも、ジャンルや地域、人脈で、やっていることが全然違って、普段から直接連絡を取り合ってないと、何をやっているのか互いに知らないようですね。人間、想像力を自由に働かせるといっても、いろいろな素材や経験がないと、新しいイメージの創造が難しくなるのではないでしょうか。毎回、仲間内で同じようなものばかり見たり聴いたりしていると、どんなオタクでも、マンネリになります。

　東大駒場駅の前に、アゴラ劇場という平田オリザ★の劇場があります。しかし、東大の表象文化論の学生や院生は、ほとんどあそこに足を運ばないようです。昔

★ 東浩紀
本書一〇二頁の脚注を参照。

★ 平田オリザ
一九六二年生。劇作家、演出家、アゴラ劇場支配人。主な著書に小説『幕が上がる』（講談社文庫）、評論に『対話のレッスン』（講談社学術文庫）など。

だったら芸術に関心があって研究していると自称している人は、都内の主要な劇場に足を運んでいろいろ見て、人脈を作っておかないと、机上の空論と言われそうなので、頑張っていろんな場所に通っていた人がいたような気がしたのですが、今はそんな雰囲気はない――左翼が現場を知らないと恥ずかしいと言っていたのと同じ感覚ですが。今はネット情報があるので、行かなくても済んでしまうのかもしれません。むろん、ミニ劇団の劇場に行くのは心理的ハードルが高い。恐ろしい変人たちの巣窟のようなイメージがする。私も誘われなかったら、ミニ劇場と関わることはなかったし、今でも出かけるたびに、しんどいなという感じがします（笑）。でも、実際に足を運ばないとどんどん貧困になるだけです。

――前回も、今回も、以前よりメディアが発達した現代の方がかえってアウラが見えるようになった面もある、ということをお話しになったと思うのですが、それについてもう少し関連することを聞かせてください。

リーフェンシュタールの『意志の勝利』は、描かれているのがナチスの党大会でなければ、ものすごく荘厳な雰囲気が漂っています。歴史的な意義のある、壮大なイベントが行なわれているような雰囲気がある。演出もあるのでしょうが、同じようなタイミングで立ち上がり、同じように熱烈に拍手している。呼吸を合わせたかのごとく動いている。ナチスを気持ち悪いと思って見れば気持ち悪いですが（笑）。人間には、儀礼的な場で他の人と呼吸を合わせて運動をすることに快感を覚える、ということがあるのかもしれません。普段、そういう経験がないから、なおさら、ディオニュソスの祝祭のようなものに憧れるのかもしれません。

フリッツ・ラングの『メトロポリス』でも、スタジアムに群衆が集まってきて、押し合いながら踊り回り、その勢いで、バッカイのように暴走するシーンが二回あります。西欧のスタジアムはその形状からして、古代ギリシャのディオニュソス劇場の再現だと見ることができます。人間がそうした場所に密集すると、そこに太古の神聖な雰囲気、アウラ的なものが生じるのかもしれません。

現代人は個人として生活している限り、いろんなメディアで気軽にいろんな情報に、そのときの気分で接することができるので、ベンヤミンが言うように、身近なものにアウラを感じにくいかもしれません。簡単にコピーできるものばかりですから。しかし、儀礼的な空間に押し込まれたとき、祝祭的なものへの欲求が一気に高まり、本人たちの意志と関係なく、ミメーシスが大規模に作動するかもしれない。現代思想では、近代人が失った「身体性」の回復はいいことであるかのように語られる傾向がありますが、それが本当に良かったのかどうか。狭い空間の中でのミメーシスの連鎖を通して、その場にアウラがあるかのように感じられるかもしれません。プラトンはやはり先見の明があったのかもしれませんね。

――よく外国人の友人から聞かれるのが、日本のアイドル文化です。あれはいったい何ごとかと（笑）。最近のアイドルはものすごく大人数で、彼女たちがみんな同じ動きをして踊っています。また、それを見た小さい子どもたちが真似をしています。さきほどの言葉でいえば集団無意識ですが、集団で同じ動きすることに心を奪われる契機というのは、映画ではなくて、むしろテレビではないですか。これは日本独特のもののような気がします。私たちはこの現象を海外の人たちにどう説明したらいいのか。あるいは日本のアイドル文化をどう思われますか。

人間には集合的に動こうとするミメーシス的欲求があります。完全にミメーシスで動くようになったら、動物の群れと同じになるから、どこかで抑えている。そうした抑制装置があることが、文明の条件ではないかと思います。アイドルやスターの真似をするのは、どこかで、抑制装置を解除したいからなんでしょう。ただ、解除する場とかそのやり方、そのきっかけになる記号が、国ごとに違うのでしょう。多分、日本人の場合は、目印が分かりやすすぎて、いかにも退行しているように見えるんでしょうね。

アイドル論でよく言われることですが、日本の場合は、成熟して完成されたもの、洗練された技巧や教養を持ったカリスマの条件らしきものを備えている存在に同化しようとするのではなく、幼さを払拭しきれないもの、弱さを抱えていそうなものに共感する傾向が強い。日本のアイドルは昔から「幼さ」を売りにしていて、韓国のスターとはまったく違う、という話をよく聞きますね。人間には成熟しなければならないことに疲れて、赤ん坊に近い無防備なものに惹かれる傾向があると思うのですが、韓国人のようにやせ我慢して、ちゃんとした大人のヒーローに憧れるのではなく、露骨に「幼さ」をいとおしみたいんでしょうね。そう言えば、昔のウルトラマン★や仮面ライダー★に変身していたのは、あごが頑丈そうな大人の男性だったのですが、だんだん細面の少年がヒーローになることが多くなっていますね。幼児性志向が次第に露骨になっているのかもしれません。

子どもたちが大勢で真似をするというのは、AKBのヒット曲★とか、『逃げ恥★』のダンスのようなもののことでしょうか。要するに「真似をする」ことが、訓練しなくても「できる」ということですよね。単純に動作に共感しながら身体を動かしていたらいつのまにか踊りができていたというのは、ミメーシス度がも

★『ウルトラマン』
一九六六年に放送が開始された特撮ヒーローのシリーズ番組。宇宙から地球に来たウルトラマンが地球を守るために怪獣や宇宙人と戦う。

★『仮面ライダー』
一九七一年に放映が開始された特撮ヒーローのシリーズ番組。主人公は仮面ライダーに変身して悪の組織と戦う。

★AKB48のヒット曲
二〇〇五年に活動を開始した女性アイドルグループが、数十名のメンバーで踊るダンス曲を多数ヒットさせている。

★『逃げるは恥だが役に立つ』
海野つなみのコミックを原作として二〇一六年に放映されたテレビドラマ。主演は新垣結衣と星野源。エンディングテーマ曲「恋」で踊るダンスも話題になった。

のすごく高いということでしょう。本来のミメーシスが、難しい動作を計算して再現することではなく、単調なリズムでの動作に無自覚的に同化することだとすると、訓練しなくても、目で相手の動きを追っていると何となくできてしまう、というのが一番それに近い。

グループの人数が多いのは、商業的な理由もあるんでしょう。いろんな好みを持ったアイドル・オタクを惹きつけられますから。でも、結果的に、真似て同化すべき相手自体が互いにミメーシスしているので、見ている方も余計にミメーシスしやすい。一人のダンサーよりも、集団の動きの方が間違いや下手な動きが目立たないので、ハードルが低い感じがすることもありますね。「パプリカ」★のように、ユニット自体が本当に小さい子供で、歌もダンスもいかにも子供っぽいと、子供としてのミメーシス欲求を最大限に引き出せるのかもしれません。

——崇高は快ではない、むしろ不快に近いものに対して感じる美というか、狭い意味での美から外れる感情である、ということだったと思いますが、ホラー映画は崇高を感じさせる代表的なものではないでしょうか。ホラーを見ると、不快を感じたり恐怖を掻き立てられるけど、見入ってしまう。ホラーは、舞台の上での演劇ではなくて、映画じゃないと成り立たないジャンルだと思い

★「パプリカ」
小中学生の音楽ユニットFoorinの楽曲。二〇一八年にCDが発売され、ミュージックビデオの再生回数が一億回を超えるヒットとなった。第六一回日本レコード大賞受賞曲。

ます。ホラー文学やホラー映画で表現されるような、恐怖で感情をかき乱すような存在が出現するときの絶妙な場の雰囲気や画面の暗さなどは、舞台に上がった瞬間にむしろギャグ、喜劇に近いものに変換されてしまうのではないでしょうか。そうしたホラーや恐怖的な物語に関する美学上の話題をお聞きできないでしょうか。

確かに「ホラー」の究極の本質は、共通感覚（common sense）による常識（common sense）を攪乱する「崇高」だと私も思いますが、いわゆるホラー作品の多くはそれに失敗しているか、ズレているのではありませんか。特にアメリカのスプラッターホラーは単に気持ち悪いだけで、日常の感覚をかき乱されるという感じがしない。ゾンビ映画によくあるように、パターン化しているので、観客も「ここで来るな」「こいつが死ぬな」と分かっていて、お約束事になっている。それを主人公がどうやって切り抜けるかしか不確定要素はないけれど、それを楽しむ。

一九七〇年代くらいまでのアメリカのホラー映画は、本当に怖い、つまり、あいうのが出てきたらどうしようと不安を覚えさせるようなのが多かった気がします。超自然現象なんだけど、いきなりすごい魔法のようなものを使うのではなくて、普通の人間だと思っていたら、よく見ると血の気がないとか、足下を見たら人間が立っていることが物理的に不可能な場所にいるようだとか、私たちの見ている共通感覚の世界に、微妙な裂け目のようなものがあって、そこで変なことが起っている感じですね。微妙な裂け目だったら、私たちが普段気付いていないだけで、気を付けたらあるかもしれない。その裂け目がいきなり出て来ないように、暗示しながらちょっとずつ見せていくところがカギだと思います。先ほどの語源的な話で言うと、limen、敷居ですね。

アメリカのホラーは、比較的早い時期に、それから離れて、お約束事による固定客獲得にシフトしていったけど、日本のホラーはごく最近まで、基本を守っていたように思います。そういう意味で私が「崇高」な感じが出ているなと思ったのは、『リング』★です。むろん、第一作です。「貞子」という名前のキャラクターにして売ろうとしたらダメですよね（笑）。それで固定客はついたんでしょうが。第一作を見たときは芸術性があるなと思いました。

あの有名な井戸から出てくるときの動きは不思議です。映像処理をしてるのでしょうが、高度なＳＦＸを使わずに、実際の人間が動きをモンタージュしているのだと思います。普通はあの姿勢を保ったまま、あのテンポでは動けません。あの前かがみの姿勢で、肩を前後に揺らさずに粛々と進んでいくことは、普通の人間には無理です。しかし、生身の人間の身体であれをやっているように見えるの

★『リング』
鈴木光司の小説を原作として一九九八年に公開された同名のホラー映画。監督は中田秀夫。「貞子」は作品中すべての元兇として登場する白いワンピース姿の女性。

で、微妙に説明できないことが起っていると感じられて、怖い。

当たり前のような映像の中で、徐々にあり得ないものが現われきて、いつのまにか消えていくのを見たけれど、どこに境目があったのか分からない、だから自分の日常にもそういう敷居がありそうな感覚が残る。足のない幽霊だとはっきり分かるものを出してしまったら、境界線がはっきりしてしまうので、そんな大きな裂け目は、私たちの日常に見つかりそうにないので、緊張感が生じない。

『エクソシスト』★で、首をぐるーっと一回転させる動作があります。あれとまったく同じことは、生きている人間にはできないと思いますが、近いことをできる人はいるらしいですね。現実にあんな現象を目にすることはないとは思うのだけど、物理的にまったくありえないわけではないかもしれない、ひょっとしたら……と、そういう連想させるから無気味です。上質なホラーは、崇高なものを、私たちの身体感覚をかき乱し、周りを振り返ってみたくなるような形で表現することに巧みなのでしょう。

★『エクソシスト』
一九七三年に公開されたアメリカのホラー映画。監督はウィリアム・フリードキン。「エクソシスト」は英語で「悪魔祓い」の意味。左はDVDのパッケージ。

第4講

科学技術の行く末――人間とAI

ジョン・R・サール

『MiND――心の哲学』

（山本貴光＋吉川浩満訳、ちくま学芸文庫、二〇一八年）

デリダとの論争や、人間の言葉の理解をめぐって本書でも言及した思考実験「中国語の部屋」で知られる言語哲学者の主著にして入門書です。「心」とは何か。そしてどのような議論がなされてきたのか。従来の二元論や唯物論などの理論的な誤謬から解放され、意識や知覚、自由意志などの「心」をめぐる諸問題を解き明かします。

柴田正良

『ロボットの心――七つの哲学物語』

（講談社現代新書、二〇〇一年）

はたしてロボットは心を持つことができるのか、感情の機能とは何か、「理解する」

とはどういうことか、などの問いから、ロボットを可能にする技術や原理を考えます。人工知能、チューリングテスト、フレーム問題、ニューラルネット等についても分かりやすく解説しながら議論を展開していきます。

ダニエル・C・デネット

『自由は進化する』（山形浩生訳、NTT出版、二〇〇五年）

「自由意志」とは何だろうか。それはどのように実現できるのかを考える哲学論。神や因果関係などの非科学的な思弁が支配する決定論的な世界で、人間はどのように自由を選択し、自由はどのように進化してきたのかを考えます。自由意志とは進化の過程の産物で、人間を幸福にするものだと述べています。

第5講
ネットと文明——SNSでつながる先の世界

仲正昌樹

『〈ネ申〉の民主主義——ネット世界の「集合痴」について』（明月堂書店、二〇一三年）

集団主義的な感情によって、ファシズムとも見まがうべきウェブサイトの掲示板やSNSで形成される「ネット世論」とは、民主主義なのだろうか。それらは果たして現

代社会でどれほどまで信用できるのか。サンデルの「白熱教室」や教育現場での実践を通して、ネット依存社会の現実と人文科学の今後を論じています。

東浩紀

『一般意志2.0——ルソー、フロイト、グーグル』

（講談社文庫、二〇一五年）

著者はこの本で、ルソーの説く「一般意志」が熟議を必要としないことを踏まえ、熟議に変わる合意形成を、インターネット上に蓄積された人間の行為や欲望＝「一般意志2.0」としてアップデートし、来たるべき「民主主義2.0」を構想します。従来の社会性や公共性が失われてゆく現在、政治参与の可能性を開く一冊です。

J・J・ルソー

『社会契約論』

（桑原武夫＋前川貞次郎訳、岩波文庫、一九五四年）

人民主権を説いてフランス革命を準備し、中江兆民の昔から現代の東浩紀にいたるまで、日本にも大きな影響を与えている古典的名著。共同体の各個人に共通する「一般意志」という概念を用いて理想の社会像を描き出しています。公共の利益を追求するシステムとしての直接民主制など、個人のための国家のあり方を論じています。

仲正昌樹
『ヴァルター・ベンヤミン——「危機」の時代の思想家を読む』（作品社、二〇一一年）

現在では、あらゆる現代思想がベンヤミンを参照することから始まっていますが、この稀有な思想家を考えるための、格好の手引きとなる本です。「翻訳者の課題」「歴史の概念について」「暴力批判論」「複製技術時代に於ける芸術概念」をはじめとする主要著作の徹底的な読解によって、現代社会の諸問題を考えます。

ヴァルター・ベンヤミン
『複製技術時代の芸術』（佐々木基一編集解説、晶文社、一九九九年）

一九三六年に発表されたベンヤミンの代表的な論考です。原初的な演劇や美術など一回性の芸術作品に備わる畏怖や賛嘆などの感性を「アウラ（オーラ）」と呼び、映画のような複製芸術ではそれが喪失し、やがてファシズムへと結び付くことを検証しています。現在もメディア論やカルチュラル・スタディーズに大きな影響を与えています。

H・v・クライスト
『ペンテジレーア』（仲正昌樹訳、論創社、二〇二〇年）

三四歳で人妻とピストル自殺した、一九世紀ドイツを代表する劇作家の代表作。ギリシア軍とトロイ軍の攻防戦に乱入する女だけの国アマゾネスの女王ペンテジレーアは、英雄アキレスと出会い、戦い、あまりに激しく愛したために、犬と共にアキレスの心臓に噛みつき、食い破ります。ゲーテを驚倒させた名作を新たに訳し下ろしました。

第7講 哲学と芸術――神話世界からディズニーまで

仲正昌樹
『教養としてのゲーテ入門――「ウェルテルの悩み」から「ファウスト」まで』（新潮選書、二〇一七年）

あまりに有名すぎて実像がぼんやりしている世界文学中でも最大の文豪ゲーテ。市民社会のなかで悩む若者ウェルテルは単なる「妄想人間」なのか。ヴィルヘルム・マイスターはなんのために修行し、遍歴しているのか。そして『ファウスト』に描かれるワルプルギスの夜とは何を意味しているのか。ゲーテの向こうに現代が隠されています。

仲正昌樹

『増補新版　モデルネの葛藤』

（作品社、二〇一九年）

デリダの主要概念「脱構築」に先駆する哲学として再評価の動きが強まっているのが、フランス革命と同時代の文学／思想運動「ドイツ・ロマン派」です。ヘルダー、ヘルダリン、シュレーゲル、ノヴァーリス、シェリングらをポスト構造主義の視点から再解釈し、その思想の可能性を問い直す試みです。

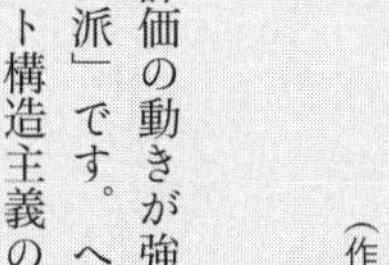

F・ニーチェ

『悲劇の誕生』

（秋山英夫訳、岩波文庫、一九六六年）

哲学者ニーチェの誕生を告げる第一作です。この本で著者は、ギリシャ悲劇を「アポロ的夢幻」と「ディオニュソス的陶酔」という二つの対立概念で論じながら、ワーグナーの楽劇を最大限に讃美します。それがドイツ精神を復興させ、悲劇を再生させるのだ、と謳いあげ、生の豊かさを取り戻そうとしています。

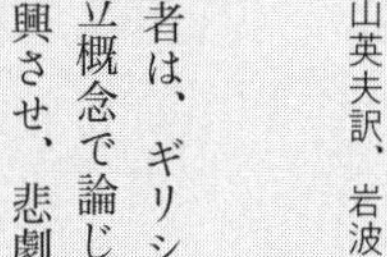

仲正昌樹
Masaki NAKAMASA

哲学者、金沢大学法学類教授。
一九六三年、広島県呉市に生まれる。
東京大学大学院総合文化研究科地域文化専攻研究博士課程修了（学術博士）。
専門は、法哲学、政治思想史、ドイツ文学。
難解な哲学書を分かりやすく読みとくことに定評がある。
著書に、
『危機の詩学——ヘルダリン、存在と言語』（作品社）、
『歴史と正義』（御茶の水書房）、
『今こそアーレントを読み直す』（講談社現代新書）、
『集中講義！　日本の現代思想』（ＮＨＫブックス）、
『ヘーゲルを越えるヘーゲル』（講談社現代新書）、
『統一教会と私』（論創社）など多数。
訳書に、
ハンナ・アーレント『完訳 カント政治哲学講義録』（明月堂書店）など多数。

哲学JAM

現代社会をときほぐす

［青版］

著者　仲正《なかまさ》 昌樹《まさき》

発行者　下平尾直

発行所　株式会社 共和国 editorial republica co., ltd.
東京都東久留米市本町三-九-一-五〇三
郵便番号二〇三-〇〇五三
電話・ファクシミリ 〇四二-四二〇-九九九七
郵便振替 〇〇一二〇-八-三六〇一九六
http://www.ed-republica.com

協力……石引パブリック（砂原久美子＋中島日和＋南唯乃）
福島利之（読売新聞）

装画……田内万里夫

ブックデザイン……宗利淳一

DTP……岡本十三

印刷……モリモト印刷

二〇二一年四月二〇日初版第一刷印刷
二〇二一年四月三〇日初版第一刷発行

本書の内容およびデザイン等へのご意見やご感想は、
以下のメールアドレスまでお願いいたします。
naovalis@gmail.com

ISBN978-4-907986-79-7　C0010　